Mansões abandonadas

JOSÉ DO CARMO FRANCISCO

Mansões abandonadas

Organização
Floriano Martins

Prólogo
Nicolau Saião

Ilustrações
Sérgio Lucena

escrituras
São Paulo, 2007

Escrituras Editora e Distribuidora de Livros Ltda.
Rua Maestro Callia, 123 – Vila Mariana – 04012-100 – São Paulo, SP
Tel.: (11) 5904-4499
Fax.: (11) 5904-4495
escrituras@escrituras.com.br
www.escrituras.com.br

Criadores da coleção *Ponte Velha*
António Osório (Portugal) e Carlos Nejar (Brasil)

Organização
Floriano Martins

Editor
Raimundo Gadelha

Coordenação editorial
Camile Mendrot e Herbert Junior

Prólogo
Nicolau Saião

Revisão
Juliana Ferreira da Costa e Karina Danza

Ilustrações de capa e miolo
Sérgio Lucena

Capa e projeto gráfico
Vaner Alaimo

Editoração eletrônica
Vaner Alaimo e Fábio Garcia

Impressão
Gráfica Edições Loyola

Agradecimentos a Ruy Ventura, Nicolau Saião, Sérgio Lucena e Jacob Klintowitz.

Dados Internacionais de Catalogação na Publicação (CIP)
(Câmara Brasileira do Livro, SP, Brasil)

Francisco, José do Carmo

Mansões abandonadas / José do Carmo Francisco; organização Floriano Martins; prólogo Nicolau Saião; ilustrações Sérgio Lucena. – São Paulo : Escrituras Editora, 2007. – (Coleção ponte velha)

ISBN 978-85-7531-268-1

1. Poesia portuguesa 2. Poesia portuguesa – História e crítica I. Martins, Floriano. II. Saião, Nicolau. III. Lucena, Sérgio. IV. Título. V. Série.

07-7861 CDD-869.1

Índice para catálogo sistemático:
1. Poesia : Literatura portuguesa 869.1

Impresso no Brasil
Printed in Brazil

Ministério da Cultura
Instituto Português do Livro e das Bibliotecas

Sumário

Ideário das mansões em José do Carmo Francisco

Nicolau Saião

O autor sobre o qual nos debruçamos é um poeta multifacetado que ao Alentejo tem dado muito do seu discurso literário.

Claramente tributário de Florbela Espanca no que esta tinha de intenso, magoado e repleto de paixão (não falando nos seus textos em prosa que apontam directamente para sinais expressos no florbeliano *As máscaras do destino* – leiam-se, por exemplo, certos trechos de "O inventor"), JCF é de igual modo um irmão-colaço de Cesário, de Afonso Duarte e de Irene Lisboa, bem como de autores estrangeiros (estou a lembrar-me de Guillevic ou mesmo de Tonino Guerra), que ao quotidiano transmutado endereçaram o melhor de um estro ancorado na realidade mais apropriada e sensível.

I.

A memória do poeta é uma memória ausente. Pura e dispersa, vive acocorada em lugares sem tempo, sem idade, pois seu mundo mais autêntico habita outra dimensão. Ou antes: colocado ante a impossibilidade de atingir, no quotidiano, a verdadeira vida de que falava Rimbaud, o poeta tenta cristalizar breves minutos, *flashs* que iluminem os continentes definitivamente perdidos onde a existência percorreu tardes e manhãs e onde a figura dos seres amados (o avô, os vizinhos, a mãe, os primos) se quedaram para sempre entre os pontos cardeais.

José do Carmo Francisco poderia dizer, à sua maneira, que a nostalgia (essa tentativa de sentir de novo o sol desaparecido dos dias e das noites, desgarradora e fremente) enforma e caracteriza boa parte da melhor poesia que hoje se vai fazendo na Europa. É que, agora, sabido que foi que as civilizações são mortais, passámos a todo o pano para o outro lado da questão: a imortalidade é a única promessa que vale a pena, como se refere um poema de Mathew Meade. E o poeta, que é um mastigador do mundo, na expressão de Cristovam Pavia ou, para seguir António Luís Moita, uma ponte, um transportador do testemunho dos que se vão para os que nascem, como por outras palavras sugere o grande autor de *Cidade sem tempo*, sabe que só conta, para reerguer um universo na medida do homem, com esse fiozinho de música, de encandeamentos, de cruzamentos e círculos que a palavra possibilita e faz vibrar. Como, em uma fase da obra alquímica, a escória se transmuta para ganhar nova face sob a luz do mundo. Assim, cabe ao poeta purificar as correspondências retidas nas palavras de todos os dias e que nos apresentam o seu corpo caótico, ainda não transmutado. É nele que reside, a nível de discurso humano – que se supõe possa sempre ter reflexo na realidade social e psicológica –, uma certa redenção dos dias havidos ou a haver e que recoloquem no seu melhor lugar a existência das pessoas, dos animais e, por que não, das próprias coisas.

> *Sobe do vale a surda voz da água / sobe e perde-se no pó da tarde / no som do comboio – no tempo / (tudo me ajuda a lembrar a voz)*
> *Não a posso ouvir mas sobe / por uma estrada de pó – este rio / e as saudades do mar perdem-se / como se o mar fosse um retrato*
>
> *Memória aos poucos diluída / (tempo destruído em luz na tarde) / a voz da água canta surda / (não a posso ouvir mas sobe)*
> *Uma outra estrada um outro tempo / palavras no pó – nuvens paradas / o retrato do mar aos poucos / (a voz da água a subir na tarde)*

Diz-nos o poeta, no poema "A voz da água", com a força magistral de sua poética: "Como se o mar fosse um retrato", sublinho, e que "aos poucos" invade a "memória aos poucos diluída" numa "(...) outra estrada (...) outro tempo" numa tarde perdida entre outras e só recuperada mediante à sua fixação no poema. Um mar real, evidentemente, mas também metafórico e que de alguma maneira simboliza a grande corrente que até nós chega, nos envolve, nos transporta com ela: o tempo em que somos e que nos constrói, mas em que a seguir deixamos de ser, ficando só resíduos como pegadas em uma praia deserta. Poemas como "Até esse momento", "A voz da mãe", "Outro tempo", para referir apenas alguns, são significativos de uma consciência que se reconhece nas raízes, paraíso perdido ou bosque encantado – esses paraísos e esses bosques que, por mais que o tente uma sociedade repleta de desvigamentos, caquexias e manhas, nunca poderão ser retirados ao poeta, aos poetas, porque habitam um outro espaço imune à sua acção corruptora e que, mediante o poema, passa a fazer parte de outros imaginários, ou de quem lê e entende.

Milagre da poesia, mas milagre também dos que, escrevendo, sabem isolar esses "restos dos sonhos no meio dos objectos" ou, ainda mais definitivo, "dos escombros" onde os corações se procuram em um afã de conhecimento e de encontro.

II.

Mas mal estaria o poeta que só tivesse no seu baú os ecos do passado, posto que transfigurados em experiências comunicáveis ao leitor. A breve trecho ficaria no meio dum prado imaginário, ou no centro dum pátio lajeado, executando com os dedos estranhos passos cabalísticos que procurariam retirá-lo do universo das sombras e daquilo que, mal ou bem, não pode ser recriado, mas tão-só recordado como exemplar.

Em José do Carmo Francisco também há outras mansões para visitar. Ele dispõe de outras setas na sua aljava, de outros acordes na sua lira e alguns bem eficazes.

Por exemplo: um certo humor magoado, que é o que mais se ilumina, o que mais rebrilha em todas as direcções. Vale aqui o aviso aos zoilos: se topares um sorriso, repara nos seus cambiantes. Se é apenas um riso branco, atenção, porque pode estar inquinado por matérias que a breve trecho o transformam em simples riso alvar, próprio de distraídos, de alarves ou de pequenos patifes. Como dizia apropriadamente Isidore Ducasse, conde de Lautréamont: "Riam, mas chorem ao mesmo tempo. Sejam lágrimas, seja mijo, seja sangue, aviso já que um líquido qualquer é aqui necessário".

Em JCF esse líquido é o pequeno facto do dia-a-dia. Humor magoado, incursão pelo quotidiano são, portanto, características maiores da poesia de JCF, que sabe muito bem levar a água ao seu moinho poético onde a farinha é de diversas cores: a cor cinzenta da vida-vidinha, a cor violeta dum fantástico social que se desprende dos poemas assumidamente simples (ia a dizer fingidamente simples porque o poeta, já se sabe, é um fingidor definitivo mesmo quando os olhos lhe saem das órbitas, esbugalhados por obra e graça da sua qualidade interior de homem entre os homens) que, contudo, por um torcer de mão – o célebre *tour de main* dos alquimistas –, um jeito de quem mexe na matéria com os dedos todos, se projecta e nos projecta noutra direcção, essa sim a sua verdadeira meta. Como no filme *Stalker*, de Andrei Tarkovski, há na zona, esse lugar mítico que pode ser uma zona geográfica ou zona da alma a que as palavras nos conduzem, um ponto em que se cumprem os desejos. Também assim acontece na poesia. Por intermédio de uma brusca inflexão, o poeta conduz-nos então na direcção certa. E o que ainda é melhor é que nós, leitores, podemos chegar a ela sem ser necessário exagerar na indicação. Podemos, por outras palavras, sentir esse *clic*.

Quer dizer: a poesia de JCF sabe ser discreta, sem aquelas ridículas redundâncias que anos e anos de metafísica mal assimilada nos habituaram a verificar em certos poetas, alguns dispondo mesmo de certa aura (provavelmente algo imprecisa). Dizia Georges Brummel que a verdadeira elegância não se nota, apenas se sente e parece-me que isso é inteiramente verdade tanto para a indumentária como para a poesia (aliás parentas muito próximas). Um poeta indiscreto é como – e perdôe-se-me a expressão relativamente pitoresca – uma daquelas *mademoiselles* que realçam os seus atributos sem ponderação, "colocando tudo sobre a mesa" como reza a colorida expressão de Apolinnaire.

E poderemos aqui esquecer o ambiente sociopsicológico existente nos tempos de Florbela, esse tempo com a sua delicadeza de maneiras e uma certa elegância que atravessava as diversas classes, mesmo as literárias?

Esta discrição não é, evidentemente, estudada. Nem por fora nem por dentro. Tenho para mim que o poema, tanto em Cesário como em Florbela, tanto em Irene Lisboa como em JCF – e poderíamos falar em muitos mais – faz inteiro corpo com o poeta no que este tem de quotidiano, aquele signo terra a terra que se sente palpitar na "Correspondência" em que a autora de "Carta da herdade" faz reflectir os seus dias. Que é sinal de pessoa no seu tudo. O poeta de que aqui nos ocupamos é tudo menos um malabarista desses que, para explicarem como é que a visão de um pomar nos faz compreender melhor a existência, utilizam muitos quilos de retórica com resultados pouco entusiasmantes. Vejamos como procede José do Carmo Francisco:

As pequenas árvores não olham· / fecham-se sobre si próprias / como quem se esconde do sol.

Na tarde que o calor abafa / um invisível fio nos liga ao chão: / parte da água do poço sai para lá.

Anos depois se os frutos surgirem / será também por esta água / nesta tarde em resposta ao olhar.

Mas, voltando ao humor magoado que se solta dos seus textos, vejamos o poema seguinte intitulado "Férias", no qual (ao contrário do que com Florbela se passava) tudo se resolve mediante uma resolução de tom que é tributária do último quartel do século XX:

Até aqui os maus filmes indianos nos perseguem / E se insinuam devagar a cada esquina.

Nas lojas de souvenirs *são também anunciados / Ao lado de explicações e apanhadeiras de malhas.*

Por outro lado os pneus do automóvel / tornam-se pesados / Como se estivessem cheios de angústia / em vez de ar.

Ou, este ainda mais completo e elaborado, arrolando minutos idos, com o título de "Camioneta" e que bem poderia ter sido reportado a Vila Viçosa, com o seu ambiente de meia-província:

Nesse tempo de verão / o avô muitas vezes ajudava / a carregar cestos com ameixas / roubadas uma hora antes da partida.

Os homens dormiam na pensão / partiam para Lisboa sem temor / e para quem se levantava cedo / diziam um até logo breve.

A camioneta transportava sonhos / um mundo irreal que lá vinha / por isso havia quem na madrugada / lhe ia ao largo a dizer adeus.

Hoje perdeu o tom, perdeu a luz: / bancários, costureiras periféricas / enchem a camioneta na manhã / sem dinheiro porque têm passe.

Talvez a irónica nota de humor perdido / (já não há avô nem ameixas roubadas) / é o homem que vai comprar barato / mas não junta ao preço o bilhete pago.

Esse bilhete que todos nós pagamos, diria eu metaforicamente, conhece-o bem JCF: toda a sua vida de criança a passou na província profunda, com todas as consequências que isso arrasta – os custos, como se diz agora, da interioridade, mas também uma determinada ligação ao solo, aos ritmos das estações que só os lugarejos ou as vilas proporcionam. De certa forma, como contraponto à inexistência de muita coisa típica da sociedade de consumo – que, todavia, na sua vertente positiva, é indispensável – as aldeias e as vilas, se correm o risco da excessiva familiaridade sempre redutora da privacidade, estão pelo menos mais defendidas da normalização que ataca não só os seres humanos como os produtos de consumo (maçãs, galinhas, bens diversos), ainda que nos últimos tempos os poderes públicos tenham feito um esforço heróico e, para eles compensador, para estragarem definitivamente o que de bom havia nos pequenos agregados populacionais de toda a Europa com diferentes pretextos.

Mas a memória está felizmente aí, tomando nas suas asas o desforço de permitir ao poeta a viagem de volta à sua *patria chica*, vingando-o, decididamente, de todas as humilhações que a cidade grande proporciona quotidianamente, em nome da tentativa de que todas as terras se pareçam se pareçam (bem assim como os discursos poéticos) com seus pequeninos horrores tão naturais e redutores como um telejornal televisivo

> *O súbito aparecimento duma moral / em agosto, no corredor da camioneta.*
>
> *A voz da mulher lamentava / os trinta e um dias do mês, / a mãe a seu cargo e a praia / tão sedutora na sua periferia.*
>
> *A voz da mãe não se ouvia / perdida num qualquer quarto escuro / – se ouvisse lembraria as noites entre a fralda e a canção de embalar.*
>
> *No domingo na procissão à tarde / nada faria ser esta a mulher / capaz de pedir à morte / um calendário de meses iguais.*

diz-nos ele no poema intitulado "Moral de agosto".

E aqui talvez conviesse recordar que uma das coisas que mais feriram Florbela foi esse tipo de "moral de agosto", com a sua interior e normal crueldade, tão propícia a magoar os mais fracos, os despossuídos e os sensíveis.

III.

Há um outro aspecto na poesia de JCF e, atrevo-me a dizer, no seu todo como ser humano, que conviria trazer à colação: os nomes, que são a representação de pessoas as quais, por seu turno, se tornam arquétipos de uma determinada mundividência. Creio que não foi por acaso – ressalvando o que de acaso exista na actividade editorial e de publicação em relação a um autor – que o seu livro de estréia se intitulou *Iniciais*.

Com efeito, é patente a fascinação fraternal deste autor por certas figuras que, necessariamente, considera representativas ou exemplares e que são assim, no seu espírito, a consubstanciação de um mundo de valores que ele directa ou transversalmente nos propõe.

Vou citar a íntegra de "Manuel Cintra" para ilustrar[1]:

Tira dos bolsos as sílabas e a timidez / Parado na rua e no peso dos sapatos. / Recebe das pedras o reflexo da luz / E perde-se nas palavras que persegue.

Entre duas vírgulas na pontuação do tempo / (Aves ou crianças no ângulo das esquinas) / Como quem procura óculos para ver melhor / E descobre que o olhar é a lágrima seca.

Porque nada se perde na luz branca do papel / Procura outro ângulo para escrever datas / A memória que se enche de relógios – horas / Tanta imagem gravada entre duas vírgulas.

A atitude, claramente, é a dos magos de antanho. O que José do Carmo Francisco faz tem anterior correspondência nas operações efectuadas, por exemplo, pelos taumaturgos druidas celtas que, de vara *kadosh* orientando os ritos, nomeavam figuras desenhadas no solo sagrado. Aqui, o solo sagrado de JCF somos todos nós, é a mente do leitor – na qual procura inscrever os sinais escritos que, por sua vez, lhe chegaram por meio da figuração humana que existe no seu panteão pessoal.

---

[1]N. do O.: a propósito, os poemas "A voz da água", "Fúrias", "Camioneta", "Moral de agosto" e "Manuel Cintra", por se encontrarem na íntegra neste prólogo, optamos por não repeti-los na antologia.

Evidentemente que não se trata da simples actividade de proferir motes elogiosos ou afectivos, mas sim de epigrafar experiências, maneiras de ser específicas e marcantes, ou então de retirar da ganga dos minutos a pequenina pepita dourada que consubstancia a pedra filosofal de gentes, de momentos e de inflexões que interessam ao mundo real ou quotidiano. Compará-los-ia com retratos de Cézanne, esse excelso pintor que dizia que o fim da pintura consiste em se chegar de maneira eficaz à representação da figura humana, mesmo que fosse tratada como uma natureza-morta. E em Cézanne, como em José do Carmo Francisco, os retratos vivem e pulsam – não fossem eles como são irmãos espirituais.

Como Florbela também pulsava arrebatada e até ingenuamente, pois não considerou ela, em uma carta repleta desses movimentos de alma, a italiana Ada Negri a maior poetisa do mundo?

Vejamos, para finalizar, o seu poema "Quinto olhar", um dos de acento mais dramático e no qual a presença da angústia própria e alheia mais se faz sentir – e que talvez por isso é um dos mais belos da colectânea a que pertence:

Olha o vidro – vê só uma sombra / automóveis e peões na rua, a luz / a reflexão dos sonhos no azul.

Não se levanta – fica logo presa / e prende numa esfera (talvez) azul / o peso da voz que não a revela.

Não revela nem persegue – só vê / permanece no registo (nada mais) / o sufocado desenho da palavra.

Quem reparar bem não lhe fixa nada / – perde todo o tempo no olhar / e enche a tarde com a sua imagem.

Nostalgia, amor ao pequeno facto que, todavia, tem a força de um universo próprio, um humor magoado que se transfigura e que nos dá, por extenso ainda que sobriamente, uma grande e bela indignação ante as injustiças da sociedade, fidelidade à infância e aos seres que a preencheram, ligação ao sinal próprio do homem, patente em retratos de figuras tutelares e, finalmente, a discrição e a serena mágoa que são frequentemente o prólogo da mais justa alegria não conspurcada por sistemas de valores discriminatórios. Eis o que consigo ver na poesia tão simples, tão bela e simultaneamente tão arrojada de José do Carmo Francisco.

Universário (1983)

A MEIO DA GUERRA

A fotografia, esquecida, acabou por se tornar "histórica".
Vejamos: o fato alugado apenas para a fotografia, a própria
camisa que teve de ser apertada nos cotovelos, a gravata
sujíssima mas que a fotografia disfarça.

Depois, a cara jovem não transpira o medo daqueles dias
a meio da guerra.

Pensamentos horríveis enchiam o quarto nas horas de solidão:
aviões a disparar durante horas, o pó familiar só nos relatos
dos veteranos, a enfermaria a encher-se lentamente.

Quando o império ridículo caiu como um pacote de biscoitos
no chão dum supermercado já a fotografia tinha alguns anos.

CHAPÉU DE VIDRO

Tenho passado dias no meio das máquinas
que destroem casas antigas na cidade
para construir grandes blocos de cimento

Tenho atravessado ruas com automóveis
que anunciam comícios de logo à noite
com muitos *slogans* e roupas luxuosas

E o meu chapéu de vidro não se parte
porque resiste com forças escondidas
por detrás de tanta fragilidade

Tenho corrido muito atrás de autocarros
correndo também o risco de ser atropelado
pelos automóveis de quem me paga o ordenado

Tenho dito muitas vezes no fim dos discursos
– Energia nuclear? Não, muito obrigado!
E já feri as mãos em Espanha no arame

E o meu chapéu de vidro não se parte
porque resiste com forças escondidas
por detrás de tanta fragilidade

FILARMÔNICA

Depois do ensaio os músicos regressam à casa apressados
Atravesso com eles a aldeia com a cabeça cheia de sons
Dentro de minutos deve começar a chover por aqui
É provável que nos telhados da cidade já esteja a cair

Sem telefone nada sei dos meus amigos em Lisboa
Imagino que saem do cinema a esta hora
E esperam por um táxi talvez na Avenida de Roma
Discutindo os filmes que ainda podem ver este mês

Os músicos estão cansados e não querem falar
Vão dormir até amanhã como pedras da serra
Eu vou estranhar a cama como se fosse um hotel
Mas é a minha casa foi lá que nasci à beira da estrada

DECORAÇÃO

A felicidade talvez não exista
– é como pensar num lugar
para o quadro prometido por um pintor
que morreu subitamente

A felicidade existe de algum modo
– se o tal quadro aqui estivesse
seria apenas mais uma coisa na casa
uma vaidade talvez

assim é ilimitado
capaz de assumir qualquer forma
e não está vinculado a ninguém

TARDE

Escrever no papel como na vida não é fácil
De tarde a cidade parece que morre nos poemas
Tantas palavras perdidas em tantas cartas incompletas
Tantas intençoes dispersas em difíceis telefonemas

Não tardará a chuva e a rua ficará deserta
Atravesso a tarde e atravesso a rua ao meio
O varredor municipal empurra palavras com a vassoura
Ditongos e sílabas perdidas ou inúteis no passeio

LÂMPADA

Ligas o teu mundo num céu já muito escuro
Carregas no botão e acendes a febre do dia
A água corre impetuosa na minha boca fria
Passas ao lado mas é a ti que procuro

Tento falar no exílio mas perco-me a meio
Deixo que as palavras batam contra o teu muro
Ligas o teu mundo e procuro um lugar no futuro
Tão pouco convencido que só transparece o receio

Porque será que nos meus sonhos é sempre verão
Porque será esta fraqueza de idéias tão evidente
Talvez porque a luz do teu sol é tão quente
Quando tu ligas o teu mundo ao meu coração

Sei que viajas de vez em quando pelo país
Mas não conheço a tua rota bem em concreto
Julgo que tens de qualquer modo um projecto
(Quando ligas o teu mundo não sou feliz)

CINEMA

Ela atravessava a enlameada manhã a correr
E quem a via reparava logo nas botas altas
Hoje não recordam os seus méritos ou faltas
E só lembram a sua bela silhueta de mulher

Ninguém ouviu com paciência a sua história
Aquelas referências à discussão na garagem
Todos porém mantemos uma desfocada imagem
Que guardamos teimosamente na nossa memória

Tenho que lutar contra todos os funcionários
Contra tanta desfaçatez armada em arrogância
Mas para mim não há medo nem há distância
E hei-de abrir de par em par estes armários

Atrás da porta interdita a estranhos é que vejo
As botas e os óculos que usava no cabelo
É também meu este desgosto e quero merecê-lo
E só descanso quando lhe der o último beijo

THE END

Morrer num hospital tem destas consequências;
o velório é mais pequeno do que se fosse em casa.
Além disso os brincos desapareceram de repente
e só pensamos no telefonema perdido – o funeral que atrasa.

Deve ser triste imaginar estes passos todos
com a raiva de não poder vencer a distância
e por entre lágrimas abundantes começar a recordar
as primeiras páginas da história doméstica – a infância.

No fim de contas trata-se talvez só de aritmética
esta operação que se desenrola no cemitério:
a soma das lágrimas que todos nós choramos
é igual às que ela chorou por nós – não há mistério.

E o monte que o coveiro lentamente vai cavando
tem para mim o sentido que o momento encerra:
é um pouco de mim que desce para esta cova
nas minhas palavras misturadas com a terra.

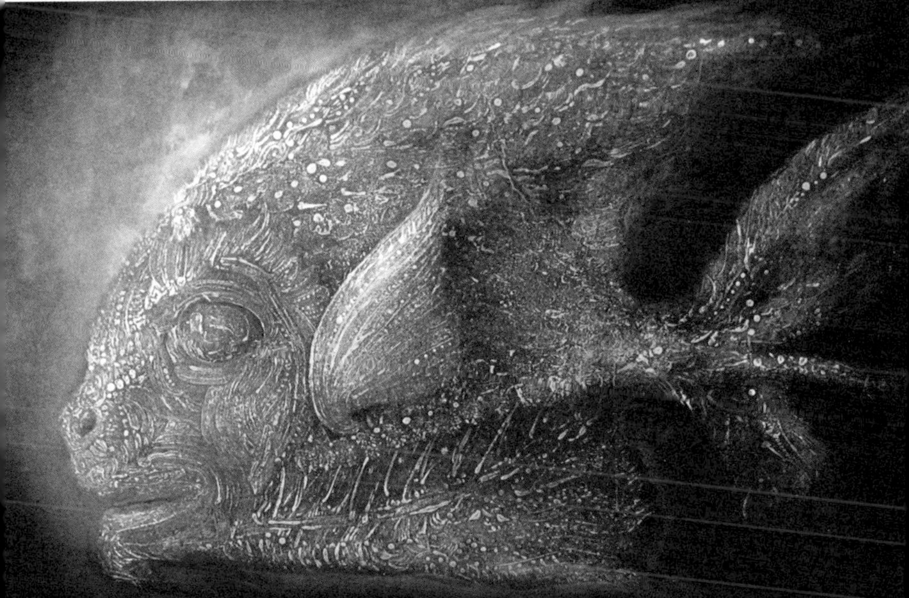

Transporte sentimental (1987)

ELEVADOR DO LAVRA

Será a morte que desce depois das visitas aos hospitais quando o
elevador se enche do cheiro do éter e dos desinfectantes?
Será a vida que sobe na voz e nas pastas dos estudantes de
medicina, cábulas e jogos de malandrice pelos lares, telefones
trocados no verso do bilhete?
Será possível parar exactamente a meio, entre a morte e a vida,
entre o escuro e a luz, registar um mundo parado e silencioso
como os balanços das grandes firmas?
Será o poema a situação líquida duma escrita em balanço
provisório?

CARMO / RUA DA ALFÂNDEGA

São estes os lugares da memória.

Longe, mais de vinte anos longe,
era esta a minha estrada.

Corria do quarto alugado
para o emprego na Baixa
por sete tostões num bilhete.

No Largo do Rato parava
e sempre me fez confusão
os trocos dum cego com lotaria.

Hoje não há já o cego
não haverá talvez o Largo
eu próprio passarei por aqui
talvez na minha última viagem
pois é este o mais barato caminho
entre a minha casa e o cemitério.

SETE RIOS / CAIS DO SODRÉ

Que estranhos peixes para uma lata
tão cor de laranja e tão nervosa.

Pequenas petingas ainda ao colo
das grandes sardinhas maternais
são a pequena alegria desta manhã.

Mais além velhos pargos resmungam
a chuva e a pequenez da reforma
que nem dá para as minhocas do prazer.

Ao fundo dois chicharros discutem
os pormenores fúteis duma patuscada
feita do outro lado do rio.

Num lugar parecem não caber
uma pescada e uma fataça humilde
porém capaz de defender os direitos.

Um safio indiferente é, com as petingas,
o contraponto de tanta confusão
Ambos indiferentes
as crianças por não saberem
ele por desdém e por adivinhar a paz
no fim da linha quando todos se perdem
no conforto invisível da grande multidão.

ARCO DO CEGO / POÇO DO BISPO

Na Estefânia te perdi
num sábado à tarde
depois das aulas no Instituto

que saberás hoje de mim
ou eu de ti
atrás, cada um,
da respectiva secretária?

Não há bilhetes para o passado
mas custa muito olhar em frente

ELEVADOR DA GLÓRIA

Na mais profunda das confusões
Nas vozes alteradas dos turistas
A pedirem desculpa dos empurrões
Aos vulgares passageiros, aos jornalistas

A quem todos os dias te percorre
Quase sem dar pelo ângulo da subida
E em cada viagem também morre
Ou (pelo menos) deixa um pouco de vida

Às crianças com três anos de idade
Na voz hesitante dos seus pais
Perdida entre o apelo da verdade
E os gastos da poupança, naturais

A todos que comigo viajaram
E posso ter como testemunhas
E este fado comigo cantaram
Numa guitarra velha como as unhas

A todos direi, tomem nota por favor:
Não há lugares sentados neste elevador.

1983 – Um resumo (1991)

TERCEIRO OLHAR

Um olhar de sal ou de areia – não sei
Mas é lá que o olhar brilha e vai tecendo
A rede da angústia (ou só da tristeza?)

Um crepúsculo persegue o autocarro
(Respira apressadamente mas no silêncio
Ninguém nota o início das lágrimas)

Quando é inverno então mal se percebe
É o neon, as grandes luzes dos anúncios
Hoje não se esconde – rasga o semáforo

Um fio invisível liga a dor ao verso
Perde-se na plataforma entre ruídos
(Comboios que partem – levam o olhar)

QUINTO OLHAR

Olha o vidro – vê só uma sombra
automóveis e peões na rua, a luz,
a reflexão dos sonhos no azul.

Não se levanta – fica logo presa
e prende numa esfera (talvez) azul
o peso da voz que não a revela.

Não revela nem persegue – só vê
permanece no registo (nada mais)
o sufocado desenho da palavra.

Quem reparar bem não lhe fixa nada
– perde todo o tempo no olhar
e enche a tarde com a sua imagem.

SEXTO OLHAR

Era no outro lado do olhar:
estátuas perfeitas que não respiram,
sinais de trânsito ou apenas
grandes olhos que piscam de modo maquinal.

E a grande paz industrial
não se vê, não se transporta no olhar
(existe nos discursos, alguns títulos de jornais
repetidos pela noite fora num pequeno *écran*).

Quem procura enfrentar a solidão
disputa um lugar na chuva interior:
as lágrimas que se escondem nas carteiras
são o húmido reflexo desse olhar perdido.

O recorte da memória do último sorriso
perde-se entre discussões, pequenas guerras, doenças
e num pesado silêncio é que se revelam
os destroços do outro lado do olhar.

OITAVO OLHAR
(segunda versão)

O que a luz por cima diz no rosto
É só um arranjo de memória visual
Não vai soltar sentimentos nem podia.

Melhor do que perder todos os sonhos
Era o percurso duma luz na fotografia
Que todas as vezes perco e ganho para ti.

Talvez a criança no casamento da irmã
O cabelo para trás – o vestido branco
Talvez o sonho falso num banco de jardim.

Talvez a adolescente que trazia no olhar
Os grandes sonhos nos comunicados
E acendia a paixão num motor quase vazio.

O que a luz por cima diz no rosto
É a mulher-menina no fechar das dúvidas
Empurrando devagar a porta do olhar.

OUTRO TEMPO

Os cães da quinta não ladram
uns morreram já, outros não
e ficam num demorado olhar
presos à imagem de quem passa.

Qualquer que seja a hora do dia
o portão não está fechado
perdeu a fechadura e os arames
ficaram por ali a enferrujar.

Todos os dias o herdeiro
se veste a preceito e se barbeia.
Faz alta a quem passa
mas já não faz negócios – só os sonha.

O que liga o olhar dos cães ao homem
será talvez o tempo que transporta:
o grande grupo a olhar a cheia
do lado de cá do rio – era o outro tempo.

POMAR

As pequenas árvores não olham:
fecham-se sobre si próprias
como quem se esconde do sol.

Na tarde que o calor abafa
um invisível fio nos liga ao chão:
parte da água do poço sai para lá.

Anos depois se os frutos surgirem
será também por esta água
nesta tarde em resposta ao olhar.

DIA

A manhã a levantar tarde
presa ainda aos restos do orvalho
as pequenas gotas nas folhas que piso.

Surpresa para quem se julga em Lisboa
este clima que vai mudando
até ao sol em brasa logo à tarde.

O tractor não tem relógio
tem outro tempo e nunca pára
(assim parece para quem o ouve).

A terra é onde de pó na tarde:
como se fosse talvez um lençol
deixa que a charrua a dobre.

FIM

As manhãs do último dia:
repetem-se assim todos os anos,
misturam-se diversas memórias.

Depois de toda a bagagem
há sempre mais qualquer coisa
– uma volta com um saco de plástico.

E as chaves frias no chaveiro
na saudade do calor da casa?
(a caixa do correio a transbordar).

FÁTIMA MURTA

Micheline Grailler Pelzer deixava cair sílabas de som no palco do pavilhão para as cadeiras onde me sentei.

Recolhidas na comoção e na surpresa de ver uma mulher na bateria serviam, depois, para desenhar uma ausência.

Uma outra mulher tinha trocado o som das sílabas musicais pelo regresso ao mundo da infância.

Tinha partido sem dizer adeus, olhando só em frente, à procura do colchão e das almofadas que secaram as primeiras lágrimas.

Num tempo de despertar, os sonhos não cabiam nas batas escolares, não era ainda mulher – era apenas um organismo sentimental mais ou menos frágil.

Nos restos do som que guardo, atravesso a noite numa rede de perguntas.

Será só um sonho de voltar atrás no tempo como quando o nome tinha menos palavras ou é o olhar que se esconde das agressões da cidade, tapetes que desequilibram uma flor vestida de mulher todas as manhãs?

MARIA MANUELA

A vírgula no romance
A pontuação dos sonhos
Perdem o seu peso na manhã

Estranha gramática
Que se perde nas ruas
No trânsito do olhar

Vírgula ou travessão
Pouco importa a palavra
Só importa a demora

Romance interrompido
É uma luz que se perde
Não se sabe até quando

ATÉ ESSE MOMENTO

Lembrarás então o pai aqui sentado
A máquina de escrever no chão
Os discos na parede entre a luz e o pó

Irão passar talvez muitos anos
Farás promessas que não vais cumprir
E dirás ruas para voltar noutras horas

Será como quem percorre um caminho
Iluminado pela luz do teu olhar
À procura das palavras subterrâneas

Lembrarás então o pai aqui sentado
Um gelado presente do indicativo
E silencioso que não fala – não esquece

Passarás nas tuas mãos um fio
Será talvez a memória das noites
O tempo do leite e das fraldas

Será como quem procura descobrir
Nos desenhos (nos cadernos escolares)
Uma outra maneira – a tua outra voz

Lembrarás então o pai aqui sentado
Não como pai mas como anónima pessoa
Surpresa a esperar no céu do outono

Terás nas tuas mãos um retrato
O voo das aves por cima da casa
Como inesperada vírgula do tempo

Será como quem procura fragmentos
Num momento ou talvez num lugar
Na tua idade como um portão aberto

MATRÍCULA

Pode perder-se uma criança
No meio da rua, no atravessar
Sendo a penúltima do grupo

Perder uma sandália para trás
Um correr muito a correr
Para procurar o que perdeu

No momento exacto de morrer
Uma travão funciona e não falha
Nos segundos que demoram a dizer

Pode perder-se uma criança
Não há quem fixe a matrícula
As lágrimas perdem-se no olhar

CEMISTÉRIO

Aqui se fixam as diferenças
até na morte como mercadoria.

Dinheiro em pedra nos jazigos;
campas pobres só com a terra
– por detrás dos muros, prédios,
vozes, gente que faz barulho
e estende roupa para este sol.

Pode chegar-se aqui de táxi
ou também de autocarro.

Nas flores mais secas
se vai perdendo a luz.
Outras memórias, palavras,
São o lixo deste dia.

Um tempo para dizer este tempo
quando o relógio se cansa
e perde os ponteiros do coração,
um tempo para lembrar
as flores tão verdadeiras
num frasco de tofina bem lavado.

Outras facturas, outro dinheiro
se perdem nesta morte a prazo.

Morre-se também na tarde,
perguntando sempre à morte
qual a diferença de luz
entre o mármore e a terra.

ESTUFA

Fria só a mão antes da tua
Só a palavra dentro da voz
Uma frieza no meio da rua
Tão farta já de andar a sós

Frios só os pés nesta procura
A descobrir a luz do teu olhar
Como se os muros desta ternura
Fossem barragens a desabar

Frios só os lábios tão secos
Na procura da tua humidade
Que se vai perder nos teus ecos
À solta no som desta cidade

Frias só as flores e as plantas
Perto e tão longe do meu coração:
Pedir-te um beijo uma vez, tantas
E tu responderes sempre não

A VOZ DA MÃE

Perde tempo num olhar
Retrospectivo e claro
Como quando se acorda

Levanta lençóis da memória
Manhãs de frio intenso e cru
Na procura do campo (do trabalho)

Cantava por entre oliveiras
E o som morria devagar
Nos pinhais (no monte em frente)

Hoje não canta quase não canta
Só a sua voz ainda lembra
O que num amor persiste

Outros caminhos ou estradas
Deixaram restos de pó
Na retina de quem espera

Espera ainda e procura
Um tempo de dizer a luz
Acesa nessas manhãs de frio

A voz hesita mas não se perde
No peso do tempo e do olhar
(Lembra e esquece ao mesmo tempo)

A LUZ DUM SONHO

Posso desenhar no ar
Com lápis cheio de luz
O peso dum regresso

Limite da natureza
Será não poder voar
Senão o voo de metal

Asas curtas de falcão
Se as tivesse voaria
Perdido na luz do céu

O tempo que se rasga
Na força do vento
Não é tempo perdido

Fica sempre um resto
Falcão mecânico a voar
Gaivota de metal sem voz

Quem se senta e dorme
Não vê o outro céu
Nem sabe da chuva nas asas

O prazer da velocidade
Não é ainda o paraíso
Mas é quase a perfeição

A tensão nas asas
Diminui aos poucos
Na inclinação do sonho

A glória maior do voo
Entre a neblina e a chuva
É chegar à claridade

Assim se perde a luz
Na espuma das nuvens
Entre o sonho e o olhar

Será só acrobacia
A fronteira indefinida
Entre o sonho e o olhar?

Mesa dos extravagantes (1996)

PEQUENA DISSERTAÇÃO CONTRA UM RETRATO

O gato no armário também se espantou:
abriu ainda mais os olhos
e não recebeu a rigidez
dum olhar assim desviado
lateral à câmera que o recolhe apenas de perfil.

A fotografia é um registro mecânico mas não se alheia
da tensão do rosto, do peso dos óculos,
do inquieto desviar ao ângulo certo
que poderia ter colhido um rosto aberto.

Não me refiro ao sorriso mas à serena proposta do olhar
(que afasta as sombras e o seu peso)
ao harmónico desenho dos lábios
(que prenuncia palavras e a sua música)
ao conjunto do rosto e do cabelo
(que anuncia o calor redondo da vida e a condenação
da forma angular)

O gato é mais feliz: integra-se no conjunto de plantas e livros, pratos e relógios. Como se a Natureza e a Arte, a Culinária e o Tempo suspendessem o seu trânsito para explicar a convivência.

Menos felizes são os que procuram o retrato em movimento da pintora.
Não o encontram e não compreendem o lado lateral dum olhar, suspenso entre as pressões do quotidiano e os apelos da arte.
Porque a aridez veloz do tempo não ajuda ao tempo da construção e da paciente elaboração de um quadro.

Desta vez ganhou o desgaste diário de quem faz um esforço contra a monotonia e contra o tempo interior.

Porque este olhar pode abrir as portas da manhã.

O LUGAR DO BÚZIO

Sobeja sempre um búzio no lugar
Na mesa branca frente ao sol
Onde se perdem as ondas lentas
Quando a tarde morre sombria

Sobeja sempre um búzio no lugar
Saudade da apanha da azeitona
Quando o som agudo enchia o vale
E os homens se reuniam vagarosos

Sobeja sempre um búzio no lugar
Buzina natural na minha boca
A pedir socorro a dizer estou só
Na tarde à beira da distância

Sobeja sempre um búzio no lugar
Ficam os sons leves dos teus pés
Aqui gravados e depois repetidos
Como nas fitas de um gravador

Sobeja sempre um búzio no lugar
Nele fica um resto – o poema
Concentrado de água e de luz
A resgatar a solidão e a sombra

MAIS PERTO DA LUZ

Uma música a começar no sorriso
que nasce entre as flores silvestres.

O ângulo do olhar sugere uma falsa natureza:
a mulher parece nascer da terra como as cores dos arbustos teimosos entre as pedras.

Mais perto da terra a mulher é, nesse momento, a imagem directa da vida: pela respiração, pelo sorriso, pelo movimento das mãos, pela ligação entre a vida vegetal e a viagem livre só permitida aos animais dotados de razão.

São duas vidas lado a lado: o silêncio e as cores da carqueja, das estevas e do rosmaninho, sobem até a luz da tarde enquanto a mulher, num intervalo de humildade, suspende a respiração e se junta, nesse momento, à voz da terra.

Nunca tinha estado tão perto da terra nem tão longe do silêncio: na discreta claridade daquele dia o sorriso da mulher foi colheita e resultado na silenciosa sementeira do lugar.

A terra permanece e a mulher passou por aquele lugar mas, anos depois de tanta chuva, tanta noite e tanto sol, um simples poema procura fixar essa memória.

Lá onde um fio invisível separa as amarguras inerecidas, as promessas por cumprir, as falsas distâncias e todas as colheitas perdidas pelo desgaste do vento e da solidão.

SESIMBRA EM JULHO

Uma mulher vem do mar.

Mudou a roupa
Mudou o sorriso
Mudou a vida
De quem na praia
A viu passar.

Viajou num barco
Depois na camioneta
A tempo ainda de trocar
O vestido pela *t-shirt*
E pelos pequenos calções.

Trouxe da cidade
Um sorriso resignado
Os resultados do dia
E as sombras das ruas
Nas suas mãos abertas.

Uma mulher vem do mar.

Quando vem do mar
Inaugura a alegria
De quem na areia
A vê passar atenta
Ao movimento da água.

Ela traz a promessa
Sempre nova da vida
Na água do olhar
Nos lábios líquidos
Na voz que reúne e amplia.

Ela atravessou a tarde
Mas não voltou ao lugar
Onde o poema se desenha
Breve como a luz na areia
Longo como o som das ondas.

Uma mulher vem do mar...

RETRATO ENTRE PEDRA E ÁGUA

Todos o sabemos: de noite os rios não existem, são
água, puramente água, no trânsito da pedra lateral
e do seu leito.

O sorriso da mulher abre-se aos mais ínfimos locais
do seu próprio tempo, nessa noite.

Tempo de pausa – talvez surgido da rotina suspensa
do instante que a fotografia testemunha.

Tempo de sorrir – talvez pelo usufruto da força da água
e do conforto da pedra.

Todos o sabemos: não há vida sem água nem lar sem
pedra – nascemos na água e crescemos no diário calor da
pedra na lareira.

Este sorriso ultrapassa a circunstância do lugar
e do momento: assim como a palavra pronunciada
pela primeira vez, solene e grave, começa a reordenar
a realidade, também a mulher recomeça, no momento
preciso do olhar, a ordenar a luz da vida, a recusa
da solidão, a certeza de ser, entre pedra e água,
o pressentimento da felicidade.

SOBRE UMA FOTOGRAFIA DE NUNO FERRARI

Há um homem que caminha contra o movimento do Mundo.
O trabalho, a pressa de chegar, o jogo das obrigações,
deixam-no, por agora, indiferente.
Ele vira as costas ao trânsito da Vida e caminha para a
máquina, para o magnésio que lhe dará a revelação
duma serena amargura.
A sua vida está suspensa nesse momento preciso.
Lesionado, impedido de jogar, toca nele, dentro dele,
uma música triste.
Por isso se afasta do rio, do silêncio da água ou da neblina da
manhã já alta.
As colunas do cais são um termómetro gigante a medir a
amargura duma exclusão.
Há um homem que caminha contra o movimento do Mundo.
Apanhado na trama secreta dum acaso infeliz, desloca
memórias de tardes entre sol e pó, à procura dos longos
abraços dos companheiros a correr do outro lado do campo.
Por isso não olha de frente a objectiva, não se enquadra nas
sombras, nas rugas, na duvidosa estrada do futuro.

Imaginamos que ao lado passaram aves, rápidas, tensas,
como urgentes vírgulas no tempo deste homem. Passam ou
passaram a caminho do sul mas este homem não teve
a esperança do calor, nem do sal das praias ou do corpo
efémero das ondas.
O seu olhar era amargo, demasiado real para o magnésio
da verdade, demasiado forte para a revelação
dum pequeno mundo a ser destruído.

As emboscadas do esquecimento (1999)

O PÉ DA ÁGUA

Havia um rumor, o peso dum som multiplicado,
a voz de um homem a cantar dando ritmo
às mãos que atiravam as enxadas contra a terra.

Nasceu a vinha desse trabalho de semanas
um tempo sem tractores e onde só os homens
revolviam a terra na fundura de uma grande vala.

Meu pai chegava de Santarém, vinha de bicicleta
e mesmo cansado pegava a enxada de pontas
para ajudar os cunhados e o sogro neste trabalho.

Foi por ele ter tirado a carta de condução que hoje
escrevo de Lisboa esta memória muito reflectida
a partir das garrafas de vinho branco e de palhete.

Nesse tempo o suor foi o adubo da grande vinha
e caía do queixo dos homens que cavavam devagar
as raízes do vinho de mil novecentos e noventa e sete.

Mais tarde aprendi como se faz a chamada água-pé
o pé feito entre cordas e algumas tábuas por cima
depois de ter sido tirado o primeiro vinho do lagar.

A água vinha em grandes almudes de metal
porque não havia ainda torneiras na adega
nem motores eléctricos nos grandes poços.

Hoje sei de ciência certa como é irrepetível
o sabor da água-pé bebida num velho barril
deixado um dia no escuro de uma mina de água.

Trago garrafas e nelas um líquido apetecido
seja vinho ou água-pé é nelas que respira
a terra onde nasci, a água, as uvas e o tempo.

Bebo cada copo num ritual repetido devagar:
depois de cheio e bebido passa a ser memória
e vem ocupar o seu lugar que é ao pé da água.

FALA DE UM SÁBIO CHINÊS A UM HOMEM TRISTE

Ninguém pode viver sem uma aldeia
Todos nós temos que ter uma avó

Quando o teu olhar ficar cinzento
não procures as pequenas desculpas
aquilo que julgas ser o motivo mais forte
porque só podes alterar o teu olhar
e o cansado ritmo da respiração ansiosa
quando encontrares de novo a tua aldeia.

Tens que descobrir o som da chuva na terra
mesmo quando a única terra à vista
é a dos pequenos jardins desta cidade.
Procura transportar a luz da pequena adega
para o ar ainda mais que condicionado
dos grandes centros comerciais feitos de vidro.

A seguir tens a obrigação de descobrir a avó
aquela que tu escolheste e julgas merecer
desde o momento em que a sentiste como tua.
Depois deves conservá-la, guardar o som
da sua voz quando apaga o teu temor
ou quando enche de calor a tua alma fria.

Verás então como defrontas melhor a cidade
e te parece menos hostil a noite fechada
quando está frio e ficas a sós contigo mesmo.

Verás então como tudo se transforma
e a perdida serenidade que procuras
chega nas mãos da avó que te abençoa.

Ninguém pode viver sem uma aldeia
Todos nós temos que ter uma avó.

DESPEDIDA NO VERÃO

Ela saiu da fotografia mental desse almoço,
dessa reunião, desse conjunto de gente
tão diferente à volta da mesa.

Gente à procura de um ponto de paz
na hora do calor
e de uma festa que hoje sabemos impossível.

Vejo a imagem desfocada de um olhar,
o desenho do sorriso a desfazer-se,
vejo o som da voz que se afasta
para longe, para se perder no esquecimento.

Hoje senti de novo
a ideia física da despedida:
ao fim da tarde ouvia da janela do telhado
as ambulâncias sobrepostas ao rumor da cidade,
ouvia o som multiplicado das vozes dos ardinas,
dos vendedores ambulantes, dos turistas
presos a mapas e a roteiros,
dos encontros e desencontros de rua.

Hoje senti a ideia da separação que a despedida contém:
é uma sombra perdida num grande largo,
uma rua vazia, uns passos pontuais mas imaginados.

Porque nenhum lugar os acolhe,
nenhuma imagem os define,
nenhum som os transforma em presença.

SOBRE UM QUADRO DE MONET

As bandeiras saúdem os viajantes
Nas portas dos hotéis a procurar
Um lugar para ligar olhos distantes
Cruzando duas vidas junto ao mar.

Há sempre um quarto a menos no hotel
E as horas que sonhei caem na areia
Não passam de projectos no papel
À espera de um gesto desta sereia.

ALCOCHETE

Há um vidro que divide o tempo, os dois mundos separados, a própria luz.
Do lado de lá o barco anuncia viagens, a água afirma-se vida e a ponte, mais longe, é sinónimo de ligações.
Do lado de cá é o aroma do café, o grande silêncio da sala sem ninguém, a serena ordenação do sabor africano a cruzar a força do açúcar.
Do lado de lá o vento empurra a água no lento ofício das marés, traz gotículas em suspenso até ao vidro que nos separa e nos protege da respiração do movimento.
Do lado de cá os empregados parecem invisíveis, deslocam-se leves, discretos, como se o café fosse um palco e houvesse protagonistas (nós) e actores secundários (eles).

A mulher que se coloca junto ao vidro celebra no silêncio da partilha esse momento único de um encontro. São duas horas e cinquenta e cinco minutos.
Das suas mãos sai o peso da ausência, a sombra do esquecimento, a pressentida angústia de um momento feliz mas muito difícil de repetir.

MARIANA SITIADA

Querem-te em casa de cinza
Com silêncio nas janelas
E portas sempre fechadas

Querem-te em casa sem luz
Sem vozes no corredor
Que te venham receber

Querem-te sempre calada
Numa paisagem hostil
Onde dormes inquieta

Querem-te sempre esquecida
Memória despovoada
No meio desta batalha

Querem-te em casa de sombras
Com a música desligada
E os desenhos sem cor

Querem-te em casa de pó
Que se desfaz devagar
Nas primeiras chuvas grandes

Querem-te enfim sitiada
Num castelo de rancor
Sem ponte nem porta aberta

Não sabem que a noite morre
Na chave da madrugada
Quando a luz varre a sombra

Não sabem que a tua voz
Há-de subir do silêncio
Para gritar um desejo

Não sabem que os teus passos
Hão-de querer um caminho
À procura dum encontro

SOBRE A MEMÓRIA DO EFÉMERO DE MARGARIDA DIAS OU OS DOIS LADOS DA NOITE

Poderia dizer o lado de fora da noite.
A duna estende-se como um corpo de mulher derrotado pelo sono. Pressente-se o peso do silêncio, o vento quieto, o chumbo das nuvens a empurrar para baixo a pressão atmosférica daquele espaço e daquele lugar.
A vegetação faz a ortografia deste discurso desolado. É como se cada cardo ou ponto verde se transformasse numa vírgula de silêncio deste olhar assim fotografado.
Uma paisagem não povoada.
Dito de outra maneira: uma paisagem povoada de modo insólito pela secura, pela aridez, pela ausência de um sopro humano. De uma voz. De um grito. De um rasto. De um testemunho.

Poderia dizer o lado de dentro da noite.
A porta abre-se como um convite silencioso ao encontro. Alguém pode estar a chegar, virando as costas ao frio e à desolada escuridão para, no calor das palavras e na velocidade do líquido, selar com notas musicais a melodia de não estar só.
Tornam-se necessárias cadeiras, mesas, bebidas e gente. Um pianista (mesmo amador) convocará melodias conhecidas, memórias musicais comuns a todos nós, pequenas canções da infância como por exemplo:

Fui lavar ao Rio Lima
Cheguei lá sem o sabão
Lavei a roupa com rosas
Ficou-me o cheiro na mão

Alguém poderá, então, fechar a porta pelo lado de dentro. A alegria assim reencontrada será um sinal na noite. A luz e o som desse encontro chegarão às dunas, à praia, à estrada, a todos os lugares onde a solidão se tinha instalado de modo provisório e (afinal) precário.

De súbito (2001)

CAFÉ

Misturas no café os teus sabores
A campo, a celeiro e a pomares
Na verdade, vás para onde fores
Tudo se modifica ao chegares

Dispensas o açúcar que te dão
E fica abandonado sobre a mesa
Tens doses de doçura em tua mão
E nos olhos a espuma da beleza

Mas não dispensas a colher pequena
Capaz de equilibrar a mistura
Entre a força africana tão serena
E a luz tão doce da Estremadura

Misturas no café o teu sorriso
Que trazes na pele do teu dia
Beber café contigo é o paraíso
É estar na capital da alegria

CAIS DO GÁS

Sobe do Mar de Palha um som distante.
Talvez um barco que, longe, espera um rebocador na barra.

Sobe até aos meus ouvidos o ruído da água na pedra.
Repetição do movimento inicial do degelo
quando todos os rios começaram no leito da ternura.

É este o cais das grandes despedidas sempre adiadas.
Por aqui passou há muitos anos o receio
do aviso de mobilização.

Mobilizado estava mas só para as pequenas guerras diárias
do sofrimento interior – resmungou a meia voz.
Ainda hoje não sabe se deve dizer barco ou navio.

SEGUNDA BALADA DA RUA MORAIS SOARES

O eléctrico passa
Quase à tua porta
Veio dar a vida
À rua já morta

À rua parada
Sem gente a correr
Bilhete amarelo
De menina-mulher

Voltou o eléctrico
Aos velhos carris
Por alguns momentos
Fui quase feliz

Trinta anos depois
Voltaram aqui
As nossas viagens
Que interrompi
– Maria José
ou Ana Maria?
Já não está ninguém
Na Secretaria

Estarão no Arquivo
Velhas cadernetas?
Ninguém tem a chave
Das nossas gavetas

Durante as férias
A radiografia
Tu continuaste
E eu desistia

Das nove às seis
Estava a trabalhar
Com olhos cansados
Nem podia olhar

Nem podia ser
Tudo o que queria
Recolhia à noite
Toda a poesia

Nos cadernos pretos
Que eu preenchia
Deixava registos
De uma alegria

Tão só inventada
Tão só fingida
Lugar do poema
Bem longe da vida

E recuperava
Neste resultado
Tudo o que perdia
Antes de filtrado

MEMÓRIA DE UMA VOZ NA MORAIS SOARES

Desde sempre o Homem procurou um arremedo de felicidade com uma espécie de reconquista do Tempo, uma memória activada e presente, uma recordação plena e feliz trazida ao horizonte dos dias. Sempre.

Essa memória assim definida de modo pouco preciso é a certeza de uma certa forma de alegria não contaminada pela efemeridade adjacente à "alegria enquanto tal" com o seu cortejo de angústias ansiosas. Sempre.

A memória que tenho dessa voz de mulher na Morais Soares é uma espécie de tempo impossível, sem ódio nem amor, sem saudade nem desejo, pressentindo no timbre e na altura, na entoação e na linha ténue do seu acento articulatório, uma origem corporal, orgânica, física, impossível de disfarçar. A voz é, pode dizer-se, ela. Sempre.

De repente essa voz tranforma-se num calendário visto do avesso, a sua protagonista já está diferente, é a menina à espera do eléctrico com um atrelado a caminho da Baixa, apenas seis automóveis circulam na Morais Soares, é verão, as raparigas usam vestidos leves e deixam no passeio perfumes de um banho recente. E muita luz. Essa mesma luz que a memória conservou intacta até hoje dentro do som da voz. Tal como um rio feliz por repetir o seu ciclo cósmico entre o azul das nuvens e o azul do mar. Sempre.

MULHER A PRETO-E-BRANCO

À janela da casa da Morais Soares não chega o sol da cidade nem a luz filtrada do rio nem os restos da subtracção entre a névoa e a força do sistema solar.

Visto na velocidade de quem passa entre ambulâncias e a pressa civil dos restantes automóveis, entre táxis e camiões carregados, o vidro da janela apenas deixa sugerir um rosto plano como um retrato ou como uma capa de revista. Nada aqui se projecta em volume, relevo ou cor; o próprio negro do asfalto ajuda a prolongar a visão em preto-e-branco dum rosto, dum olhar, duma expressão de mulher no fim da tarde nesta rua de Lisboa.

Porém, é transitório este som triste, esta melodia perdida, esta sombra do tamanho da tarde.

Amanhã a tosse e a febre vão passar, os olhos voltarão a iluminar as sombras, uma vassoura de luz vai varrer as pequenas angústias domésticas.

Lentamente esta janela será um espelho, um foco, um espaço definido a partir do qual toda a alegria suspensa voltará a ser reconstruída e afirmada.

RETRATO AUSENTE

Falta o desenho do rosto.
Falta o lugar ocupado
nos longos minutos do dia.
Falta o som da voz
a subir do chão do silêncio
para a plenitude
da harmonia construída.

Falta o olhar
ora luminoso ora sombrio
mas sempre firme,
sempre vivo,
sempre ponto de encontro,
lugar de ser,
espaço de alegria reunida.

Falta a silhueta
no atravessar das ruas.
Falta a eterna dúvida
instalada em quem tudo vê ao longe:
saber se é uma costureirinha
frágil a caminho do duro ofício
ou uma embaixatriz à procura
de lojas para as compras de Natal.

Falta o lugar
da verdadeira fotografia total
nunca afinal conseguida:
o rosto, o espaço, a voz,
o olhar, a silhueta,
são apenas fotogramas sucessivos
que juntos não chegam a construir
o retrato completo da ausência.

RETRATO ANOS DEPOIS

É um computador que me devolve as linhas do teu rosto,
as alavancas da alegria, o tempo cristalizado na imagem
fotográfica de um piquenique.

Sei que o cinzento não confere com o original,
as cores da blusa e da saia, a tua pele, tudo,
porque a máquina apenas selecciona e amplia
um pormenor de um retrato de grupo.

Sei que o lugar desse encontro não se repete,
não se devolve aos espectadores desse sorriso,
dessa maneira de olhar em frente.

Sei que o retrato é um foco de alegria,
um momento de ruptura com as sombras,
um intervalo na pequena monotonia quotidiana.

Anos depois desse dia a cores, um computador recupera
e devolve em cinzento a partícula do teu tempo,
o usufruto da tua voz, a altura do teu olhar.

A MÃO NA MESA

A mão descansa na mesa.
Dorme ou apenas adormece no silêncio do lugar
tão escuro, lado detrás da chuva a prenunciar
fim de dia nesta hora de almoço.

É uma mão discreta.
Bandeira, estandarte de um país sentimental independente,
território com fixas fronteiras, som e luz de uma alegria não repetida.

É uma mão sábia.
Transcreve no gesto o pulsar do encontro.
Organiza o espaço.
Distribui o olhar de quem já só vê marinhas de sal no branco da toalha.
E vozes. E rumores. E a vida. A recomeçar todas as manhãs.

VOZ DE VELUDO

Não se vê o timbre, a porta de metal, o campo sonoro apto a receber todas as intensidades e todas as alturas.

Às vezes o poema é esse lugar sem nome. Alguém, a meia voz, tenta levantar a voz. Nesse momento não se sabe se vai ficar ao alcance da voz que procura.

Comovida tentativa de dizer o peso da distância entre a voz presa e a voz de veludo. A primeira, muito surda e confusa, é a voz de quem procura. A segunda, muito suave e meiga, é a voz de quem, longe, desconhece o lugar secreto onde a ausência faz seu registo laborioso. Sua sombra. Seu louvor.

A VOZ DEFINIDA

Esta é a voz que reproduz toda a amplitude do movimento do mundo. Mesmo quando surge como uma prece, uma oração, um silencioso murmúrio a ligar as sombras e as dúvidas, o roteiro apreensivo dum amanhã sem caminhos visíveis nem rotas conhecidas.

Ou então quando surge como um clarim, um alerta, um grito que solta o alheamento e proclama o usufruto do tempo, da luz de uma tarde de chuva interrompida, dum passeio ao castelo de S. Jorge onde chega o rumor fabril das obras da cidade.

Ou também quando prefigura a serena confusão de uma mala de mulher com os óculos suplentes, as saquetas de *aspergic*, uma maçã envolta em celofane, lenços de papel, uma agenda, um relógio para arranjar e uma pequena carteira com retratos feitos há mais de vinte anos.

Ou ainda quando sobe do silêncio e procura afirmar
a alegria mesmo breve de um dia junto ao mar, junto
aos pinheiros, junto à espuma que repete a seus pés
a força frágil de uma voz sempre nova, sempre pronta,
sempre livre do peso acumulado da solidão
com poucos intervalos.

Esta é a voz que permanece gravada no registo interior
de quem deste lado aspira conservar o seu impacto de luz,
o seu perímetro de peso, o seu círculo de alegria convocada.

ALEGRIA REUNIDA

As partículas da voz, despedaçadas pelo ruído,
pelo trânsito lento, pela sinfonia da chuva,
sobem da placa negra da memória até ao patamar
branco do poema.

Questão de registo sentimental,
nada que uma fita magnética possa arquivar
de modo mecânico.

Nas partículas ficava o sal das ondas,
o verde dos pinheiros e o fumo da chaminé
da casa vista ao longe na serra.

Ou, por outras palavras:
os sabores, os saberes, os sons, as cores,
a luz e a alegria – afinal – reunida
nesses momentos difíceis de repetir.

MENINA 25 ANOS DEPOIS

Vem do lado da luz e faz um vagaroso intervalo na pressa do trânsito, tão veloz e tão compacto.
É um tempo novo que os seus olhos abrem no que resta da manhã: a cidade tinha uns taipais de névoa e foi a sua força que os rompeu. Barcos aflitos apitaram no Tejo o desassossego da rota duvidosa.
São estes os paradoxos do tempo: quem procure o seu bilhete de identidade achará cifras e datas, uma cronologia pesada. Porém, nem a voz nem o olhar nem o corpo solto e leve se conjugam com o tempo registado. E a luz, aquilo a que chamo luz, mistura de respiração e olhar, retrato e volume, ruptura e movimento, essa continua a iluminar quem dela, mulher-menina, se aproxima. Tal como há vinte e cinco anos ela transporta as quatro estações na voz, os dias da semana no olhar, os meses no rosto, as horas nas mãos. É o tempo condensado de uma viagem entre o campo e a cidade.
Celeiro de emoções, adega de perfumes, eira de saudades, sótão de memórias, a sua voz é, ainda hoje, o registo pessoal da luz da aldeia contra a névoa da cidade.

LUZ NA TARDE

Sei pouco da luz, da forma como empurra a noite, os últimos bêbados, os últimos cantoneiros de limpeza, as últimas sombras teimosas que se fixam nos muros velhos, nas árvores ressequidas da cidade, nos bairros suburbanos e soturnos onde o sono é mais pesado.

Sei pouco da luz mas pressinto a sua força na alegria dos autocarros cheios (os primeiros da manhã) e no ostensivo movimento do mundo (os passageiros), sei a geográfica dispersão das vozes agora reunidas, dos projectos levados a bordo da vontade e na rota dos sonhos.

Sei pouco da luz, da multiplicada força de um raio obscuro, potente, decisivo, sem ponto de partida mas de resultados à vista, desocultando as vozes, as plantas, os rios, as casas, as árvores apagadas pela borracha da noite.

Sei pouco da luz, essa vassoura silenciosa a trazer ao meu dia o calor e a alegre convicção dum tempo onde afinal vale a pena ser, permanente negação das sombras e do vazio.

AS CIDADES OCULTAS

Nas manhãs invadidas pelo nevoeiro e pela melancolia
as sombras avançam e deixam dentro de quem atravessa
as ruas a ideia de ser esta uma cidade oculta.

Porque não há sorrisos para trocar
entre quem se cruza no passeio.

Porque não há palavras para dizer
alegria no lado do encontro.

Porque as ruas, as praças, os largos e as avenidas
têm apenas um lado – o do silêncio.

Na cidade oculta não há caminho nem encontro
nem a alegria da luz.

Tudo se perde no outro lado da sombra
nos degraus da voz ausente.

UMA BLUSA COR DE CINZA

Passa pelas ruas como se a blusa cor de cinza fosse uma
bandeira, uma canção, um intervalo feliz na zona do
bulício onde o calor faz a amplificação do cansaço,
das máquinas que perfuram o solo da cidade não à procura
do outro mas de mais um buraco para o gás, a água, os
telefones ou a electricidade.

Passa pelas ruas como se a voz sempre fresca, juvenil,
no timbre de menina, transportasse para estes passeios
gordurosos a distância entre dois lugares num monte frio,
uma encosta verde embora ameaçada pelos fogos florestais
ou então uma brisa de mar entre os pinheiros cheios de
luz e a casa onde dorme o calor lento da madeira.

Passa pelas ruas como se o olhar fosse um passaporte
sentimental, cheio de carimbos, registos de fronteiras
e avisos terminantes porque os seus olhos se gastaram
na usura dum tempo rígido no qual tudo lhe foi exigido
em atenção, paciência e sacrifício quando as tristezas
desaguavam do lado de dentro das portas da sua casa.

Passa pelas ruas como se a blusa cor de cinza fosse um
clarim, uma trompete, um cornetim saído de uma melodia
de Vivaldi, capaz ainda assim de convocar momentos de
alguma felicidade, precária embora, fugidia e telegrafada
como um encontro inesperado, num local imprevisto,
num fim de tarde hostil.

FRIO

Um frio antigo deságua nos pés de quem vive apenas
em intervalos de sonhos, repetidos silêncios,
olhares cancelados pela pressa no rumor da cidade.

Entre a luz das montras e o trânsito urgente
é este o território do frio – tem a idade do tempo
e a superfície de dois sapatos juntos no passeio
branco da calçada.

Nas escadas do metro um palpite de calor na figura
de casaco azul: desce ágil o último degrau e avança
para a plataforma do cais.

Frio foi o áspero corte da porta da carruagem na
ideia de alcançar a figura de casaco azul.

A composição veloz levou a hipótese de ter a certeza.
Deixou todas as dúvidas.
E o frio antigo nos pés.

NOME

Trago o teu nome escondido no bolso interior desta roupa cansada dos caminhos sempre iguais. Mesmo no casaco despido resta sempre, sobeja, permance, um gosto perfumado a pão acabado de cozer, a maçãs assadas num forno antigo, àquilo que fica em ti depois de um passeio entre a casa e o rio, entre o fogo e a água.

Poderia chamar-lhe tempo se atendesse ser esse o nome que tudo regista, tudo conserva e tudo faz permanecer. Poderia chamar-lhe luz se julgasse ser esse o nome que tudo ilumina, tudo revela e tudo faz sobressair. Poderia chamar-lhe fogo se pensasse ser esse o nome que tudo aquece, tudo recupera e tudo faz juntar à sua volta.

Trago o teu nome escondido num papel A4 porque é no teu nome que se junta todo o tempo, toda a luz e todo o fogo precipitado pela tua voz quando passas. Seja no campo, seja na cidade, seja nos fios do telefone às vezes tão distantes e tão perdidos nas emboscadas do silêncio.

A voz sim. Por ela o teu nome se pronuncia e se prolonga. Se multiplica e se faz princípio de novas coisas desencadeadas. Por ela o teu nome se faz portátil, viaja, atravessa tardes de auto-estrada, manhãs de neblina, noites de chuva. E se deposita no bolso interior desta roupa cansada dos caminhos sempre iguais.

COMO NUM QUADRO DE SILVA PORTO

Num primeiro momento surge a mulher-menina nas sombras
dum retrato colectivo, pequeno pormenor num grupo em
piquenique,
um sorriso aberto, um olhar atento à objectiva.

De súbito é como num quadro de Silva Porto,
ela com o braço direito semi-escondido no trigo
e a mão esquerda em relevo dominando o braçado.

Volta-se para a esquerda pelo peso do sol no rosto
e pela força do olhar preso à companheira debruçada
sobre o trigo no chão da seara.

Ao longe duas nuvens brancas são a vírgula atenta
na pontuação da tarde; todo o resto é azul
no horizonte em linha quase recta.

Subo para o pormenor do quadro *Ceifeiras* e descubro
a sombra do lenço projectada no rosto:
– o vermelho-branco do pano sobre o vermelho-luz da face
da mulher-menina a meio dum trabalho penoso,
a meio da tarde na seara em fogo.

Todos os sacrifícios se justificam no resultado:
– a canseira no cheiro do pão à mesa
– o quadro na parede em festa do museu
– o poema na revelação da morte assim negada
de modo tão ostensivo.

A voz do poeta em seu momento precioso[1]

Ruy Ventura (RV): José do Carmo Francisco, estão quase a cumprir-se vinte anos da sua carreira literária em termos de publicação em livro. Que balanço faz destes vinte anos?

José do Carmo Francisco (JCF)[2]: É um balanço que tem duas vertentes. Os primeiros tempos foram tempos em que eu entrei pela porta grande, pode dizer-se. Comecei a publicar livros ao lado de grandes poetas, como Sophia de Mello Breyner, Vitorino Nemésio, Jorge de Sena, David Mourão-Ferreira, Eugénio de Andrade, entre outros. De certo modo, a fina flor da poesia portuguesa. Eu sou colega de catálogo desses poetas. Agora, há um segundo refluxo, um refluxo negativo, que é quando termina a Moraes Editores. Quando a editora fecha, eu fico numa terra de ninguém, e a partir daí só tenho publicado com apoios: de câmaras municipais, de jornais, de grupos culturais, de associações etc. E às minhas custas. Portanto, é uma primeira metade de alegria, e uma segunda metade de sofrimento...

RV: Não considera que o facto de ter publicado os dois primeiros livros numa grande editora, à altura, lhe abriu as portas?

JCF: Pelo contrário. Acabei por ser prejudicado porque, quando, naturalmente, o facto de ter publicado numa colecção prestigiada e prestigiosa poderia servir para abrir portas, só serviu para fechar portas. Nunca mais publiquei numa editora convencional.

RV: Como é que concebe o mundo literário? E a actividade poética em particular?

---

[1] Entrevista concedida por José do Carmo Francisco em 1999, inserida no livro *José do Carmo Francisco, uma aproximação,* de Ruy Ventura. Coleção *Mastigadores do Mundo.* Almada, agosto de 2005.

[2] Nascido em Santa Catarina, Portugal, a 13 de fevereiro de 1951.

JCF: O mundo literário é o que se pode chamar um mundo cão. Isto é um mundo cão onde vale tudo. Porque os critérios que decidem se vai ser publicado ou não são completamente aleatórios. Não têm nada a ver com a importância e com a categoria dos textos. Portanto, vivemos um tempo muito, muito difícil; vivemos um tempo negro para a poesia. Também uma das razões será que para a poesia ser lida e ser apreciada é preciso tempo, e hoje em dia vive-se um tempo sem tempo. Ou vive-se um tempo em que o audiovisual e a imagem têm cada vez mais força (a imagem propriamente dita e não a imagem poética). Estamos a sofrer isso. Mas, no fim de contas, em termos (que é isso que interessa) de "fortuna editorial" – como dizem os italianos – a minha tem sido muito infeliz, porque eu estou completamente fora dos grupos. Portanto, estando fora dos grupos, tudo o que escrevo e publico é sempre fruto de muito trabalho, de muito sacrifício, e o resultado final de muitas instâncias e de muitos pedidos, e de muito sofrimento, no fim de contas.

RV: Pelo que me está a dizer, concorda com José Bacelar: "Escrever é ser absolutamente só"?

JCF: Isso é verdade. O poeta escreve-se no poema. O poema é sempre autobiográfico. E há até quem diga que a poesia nasce do exílio, isto é, escreve-se em princípio para responder a uma ausência, a uma perda, a uma dor, a um exílio... Escreve-se sempre numa situação de afastado; o poeta é o afastado. Disso não há dúvida.

RV: Houve uma altura em que disse que "escrever é sacrificar no altar da literatura a [sua] outra vida". Podia falar um pouco sobre esta ideia?

JCF: Num certo sentido isso tinha a ver com o facto de uma pessoa que trabalhava num horário de escritório normal, de oito horas por dia, mais o tempo do almoço, mais a vida activa de criar filhos pequenos... De certo modo, a literatura surge para resgatar o cinzentismo e a insignificância da outra vida.

RV: Estou a ver que não concorda em nada com o que dizia o Roland Barthes, ao afirmar que, para nascer o texto literário, é preciso que o autor morra.

JCF: Não, de maneira nenhuma. Porque eu continuo a pensar que o poema escreve-se com o poeta. Todos os poemas são de circunstância. Só somos o que escrevemos, se escrevemos o que somos. Para mim, essa ideia não pode vingar. O poeta, o autor, não morre para que o texto surja. Pelo contrário. Agora isso não invalida que, por exemplo, o Pedro Tamen tenha uma citação muito interessante de um cantor de Espanha, Patxi Andion, que diz: "Pode-se escrever um poema, uma canção, ou mentir directamente". Isto é, na apropriação do real que o poema faz, muitas vezes há uma mentira, mas o poema em si não é uma mentira.

RV: Acha que, na criação poética, há uma forte dimensão de confronto?

JCF: Sim, pelo menos há o confronto entre a realidade que está na origem do poema e o lugar onde o poeta se instala para escrever o poema. Quer dizer: toda a poesia nasce para resgatar, resgatar uma realidade que se perdeu. Por exemplo, eu falo muitas vezes nessa ideia de *Os Lusíadas*. Os versos épicos de Luís de Camões nasceram para resgatar uma independência que se estava a perder, penso eu. E, portanto, quando o poeta faz o louvor dos cavaleiros e dos conquistadores e dos descobridores, ele está a fazer de certo modo isso para não morrer. Isto é, ele sente que o país está a morrer e, então, para não morrer essa realidade, ele vai revelá-la de novo e dar-lhe um relevo no poema. De certo modo todos os poemas são como *Os Lusíadas*. Isto é, nascem para resgatar uma perda que está iminente.

RV: Agora falando de si, especialmente, do José do Carmo Francisco pessoa física e, obviamente, poeta. Fernando Pessoa, acerca do Cesário Verde, dizia que era "um camponês / que andava preso em liberdade pela cidade". Em que medida acha que esta frase se pode aplicar a si?

JCF: Totalmente. Eu nasci numa aldeia e vivo numa cidade. E tenho, portanto, referências de todo um tempo da aldeia, de um tempo de sementeira e colheita, dos ritmos próprios das estações do ano, da vindima, do azeite, de como é que se fazia o azeite. De como se fazia o vinho, da eira, de estar na eira a ver atirar ao ar a palha, o vento levar a palha e deixar ficar o grão. Por um lado tenho essa realidade, e por outro lado tenho a realidade citadina na qual estou inserido há trinta e três anos. Se eu tenho quarenta e oito, tenho uma parte mais citadina em termos cronológicos, mas a ligação à aldeia permanece. E é vivificada e retomada, em princípio, uma ou duas vezes por mês.

RV: Nos seus poemas fala de Vila Franca de Xira, do Montijo, de Santa Catarina, de Évora, de Lisboa... São todos locais a que está intimamente ligado, segundo sei. Mas, há uma pergunta que eu queria fazer: qual destes todos é, afinal, o lugar do poema? Ou há vários lugares do poema?

JCF: Eu vivi até aos cinco anos em Santa Catarina. Dos cinco aos dez no Montijo. Dos dez aos quinze em Vila Franca de Xira, e a partir dos quinze em Lisboa. Esta cronologia pode querer dizer alguma coisa. São realidades todas diferentes. A realidade da aldeia, ainda no tempo em que não havia televisão, em que não havia, portanto, grande comunicação, em que as estradas eram de macadame. Passava um carro de vez em quando. Depois a passagem para o Montijo, uma vila já um bocado a cheirar a Alentejo, pelo calor, pela vivência da pesca, do outro lado do rio. Depois Vila Franca de Xira, uma vila ribeirinha muito ligada aos toiros e a essa realidade da lezíria. E eu vivi, até parece que foi de propósito, cinco anos em cada uma delas. E depois venho para Lisboa com quinze anos e aqui me instalei a trabalhar num banco. Enfim, há presenças de todas elas. Mas, não há dúvida que, quer queiramos quer não, a presença inicial é sempre a da aldeia. É sempre a da terra onde se nasceu. Nós estamos feitos, dizem os especialistas, até aos cinco anos. Está tudo feito. Depois há uns pequenos acrescentos, mas o essencial está feito até aos cinco anos. A nossa personalidade é moldada até aos cinco anos.

RV: É a idade da plenitude, não?

JCF: Pois. É que vivemos todos os sentimentos no círculo onde estamos inseridos. Eu nesse aspecto tenho algumas particularidades. Eu nasci na casa dos meus avós. Pode dizer-se que, se a minha poesia é uma poesia narrativa, o que ela tem de narrativo tem a ver com histórias que eu ouvi à lareira. Pelo facto de ter nascido numa terra que fica muito perto do mar – embora seja uma terra agrícola escolhida pelos monges de Cister para serem coutos de Alcobaça, com a sua riqueza agrícola (mas está muito perto do mar...). Havia frio, havia neblinas. Ouvi muitas histórias e fui criado com muito carinho, porque fui o primeiro neto daqueles avós, e o primeiro sobrinho, e o primeiro sobrinho-neto. Eu apareço num determinado ambiente. E lembra-me de ficar fascinado pelas histórias que ouvia contar de assaltos, do tempo em que não havia estrada para Caldas da Rainha, que as pessoas iam por atalhos, por estradas onde só passavam carroças e carros de bois, e de noite iam fazer negócios, vender cavalos ou vender porcos ou vender vacas... Depois traziam dinheiro e eram assaltadas. Eu lembro-me de ser pequenino e de ficar fascinado por ouvir nas matanças de porco, onde as pessoas se juntavam, essas histórias contadas pelos amigos do meu avô...

RV: Nos seus poemas vê-se frequentemente uma certa necessidade de ajustar contas com o passado. É uma contabilidade de sentimentos, de imagens, de sensações, de presenças. Como é que, em termos práticos, se estrutura essa memória nos seus poemas?

JCF: Bem. Isso tem a ver também com o facto de eu ter um curso de contabilidade. Isto é, por detrás da minha escrita julgo que está sempre subjacente uma ideia que é a de que o poema é uma situação líquida, e a situação líquida é o que resulta da diferença entre o activo e o passivo. Em termos muito simplistas, e que não esgotam a ideia, o poema é o que resulta de uma enumeração negativa e de uma enumeração positiva. Tal como no balanço de uma empresa ou de uma sociedade comercial. Num certo sentido, pode dizer-se que, se escrevemos para não morrer, a verdade é que também escrevemos para fazer um ajuste de contas. Escrevemos para responder às ciladas e às atribulações que o tempo nos vai colocando à frente. Aliás, isto não é fácil; não há uma resposta única para esta questão. Mas, de facto, penso que, apesar do ingénuo disto, a ideia é esta: escreve-se para não morrer, mas também se escreve para responder às ciladas que vão sendo apresentadas pelo quotidiano.

RV: Concorda com a afirmação de um poeta pouco conhecido, Eduardo Guerreiro, quando ele diz que "a memória [nos] atraiçoa"?

JCF: Num certo sentido isso é verdade. A memória pode atraiçoar-nos quando nós, ao entrarmos numa memória, entramos nela com um preconceito. Não há memórias puras, nesse aspecto é verdade. A memória acaba por ser uma apropriação de um tempo e de um espaço que nunca é puro. Nunca é puro porque nós não podemos voltar ao que éramos quando aquilo aconteceu. Por exemplo, eu fui noutro dia ao Montijo, fui à minha rua, fui falar com as velhotas do meu tempo, que eram as senhoras de meia idade e que agora são velhotas, que ainda me chamam Zezinho... Mas aquela rua pareceu-me muito pequena, mas quando eu era pequeno aquela rua era muito grande. Eu acho que isto diz tudo. Isto é, a memória acaba por ser trabalhada, mesmo quando nós proclamamos uma memória ingénua e factual, não há memórias factuais. Não há memórias puras. Toda a memória tem a impureza da aproximação. E quando nos aproximamos, aproximamo-nos já com preconceito. Que é de sermos adultos, já não somos crianças, já temos um olhar defensivo, um olhar pervertido pelas convenções. E por isso é que, sempre que se volta a um local, a um espaço que habitámos quando éramos muito pequenos: "Ah, isso afinal era muito mais pequeno do que eu pensava". Não. Aquilo sempre foi assim, a maneira como aquilo foi olhado é que era diferente quando se tinha cinco anos, e agora tem-se quarenta e cinco ou quarenta e sete.

RV: Há pouco falou no quotidiano, que é também uma presença constante nos seus textos. Qual é a ligação que estabelece entre o real de todos os dias, entre o quotidiano e a poesia que vai produzindo a partir desse real?

JCF: Podia dar o exemplo do poema que agora acabei de escrever e de passar no computador. Podia ser talvez até o modelo para uma pequena conversa à volta disso. Eu escrevo um poema cujo título é "Tarde", que fala de uma tarde, de uma determinada tarde, e que aproveita para falar nessa determinada tarde trabalhando os elementos quotidianos daquilo que se está a ver com aquilo que se está a pensar e que já aconteceu há mais tempo e que já não se vai repetir. Concretamente, os sinos das duas igrejas do Chiado dão uma imagem do momento, do momento do poema, de uma presença que já não se vai repetir de alguém que a determinada hora ao fim da tarde passava entre aquelas duas igrejas, e que já não vai passar... O pretexto é o momento, o quotidiano *in loco* sem roupagens, sem tratamento. Mas depois o que se quer atingir é essa tal saudade, é esse tal exílio, é essa perda de alguém que habitava, um protagonista, esse fim de tarde e que já não volta a esse espaço. Daí o poema terminar com uma imagem de misturar o som dos sinos das duas igrejas do Largo das Duas Igrejas com um som, que é inventado e que não existe, que é o som da saudade. A saudade não tem som, a saudade não é um ser, a saudade não produz som, a saudade é um sentimento, e por isso há ali uma espécie de imagem abusiva que é a das trindades, o jogo entre trindades e saudades. As trindades que são uma coisa real para as saudades que são uma coisa elaborada e interior.

RV: Por meio daquilo que acabou de dizer, vejo que, mesmo quando trata do quotidiano, há sempre um confronto com o real, com a memória, com o quotidiano. Com um quotidiano perdido, digamos assim?

JCF: Sem dúvida. Neste caso, neste poema que acabei de escrever, é mesmo isso. É a constatação de que há um real que se perdeu, que um convívio feliz com alguém que habitava um determinado espaço se perdeu. Mas, a passagem pelo mesmo espaço geográfico à mesma hora acorda essas memórias e há uma certa nostalgia de um tempo que não se repete e não se vai repetir. De certo modo o poema é a tentativa ingénua de ir buscar outra vez essa realidade feliz, que já não pode existir porque não é repetível, mas que o poema de certo modo tenta repetir.

RV: Mudando de direcção. Concorda com aquilo que dizia Cecília Barreira sobre a sua poesia, ao afirmar que ela vive "sob o signo do olhar"?

JCF: Concordo, porque tudo, em princípio, na minha poesia tem a ver com uma apropriação do real, a apropriação mesmo da memória, tendo um olhar que é específico. Talvez não por acaso – e aí voltando à questão profissional – eu trabalhei durante muitos anos numa missão de conferente. Conferia documentos, conferia facturas, e há uma atenção que é exercitada. E então, muitas vezes, eu descubro-me a descobrir coisas que outras pessoas não descobrem. E eu olho, talvez por estar treinado durante trinta anos a fazer um determinado exercício profissional. Já aconteceu que, numa tradução do Jorge Luis Borges feita pelo António Alçada Baptista, eu descobri alguns erros na tradução, porque tinha o original, e depois o Alçada Baptista reconheceu isso, e disse que eu tinha olhos de lince por descobrir algumas falhas na tradução. Eu utilizo muito a referência ao olhar. Eu sou mais contemplativo do que prático. Não sou uma pessoa de acção. Eu relaciono-me com o mundo a partir mais da contemplação. Não sou corredor de automóveis, não sou pessoa para subir em balões. Eu vejo o mundo à minha maneira, aliás, todos nós o vemos à nossa maneira. O olhar é isso mesmo: é a maneira como a pessoa, essa pessoa específica, se apropria do real que o circunda, porque todas as coisas que acontecem podem ser vistas de muitas maneiras. Basta ver a história clássica do incidente dos dois cães: um homem que ia escrever um livro sobre a História de Inglaterra e desistiu porque viu nas ruas de Londres um incidente de um cão de um senhor que se atirou a outro cão. E depois os senhores estavam a contar a história de outra maneira, e as pessoas que estavam na rua também estavam. "Se sobre um incidente entre dois cães numa rua de Londres há tantas versões diferenciadas, como é que eu poderei escrever um História de Inglaterra?" E o homem desistiu de escrever a História...

RV: Pessoalmente, qual é a sua relação quer com o espaço urbano, especificamente Lisboa, quer com o espaço rural de onde proveio?

JCF: Considero-me um pragmático, isto é, as condições em que eu venho para viver em Lisboa, tal como as condições em que eu fui para o Montijo e para Vila Franca de Xira, são condições objectivas. O meu pai vivia da agricultura, tirou a carta de condução, foi trabalhar para o Ministério da Justiça. E fui para o Montijo viver porque estava lá a construir-se um Palácio da Justiça. Depois, esse Palácio ficou pronto e fomos para Vila Franca de Xira, mais cinco anos, mais outro Palácio da Justiça. Entretanto o meu pai desistiu de trabalhar no Ministério da Justiça e veio trabalhar para Lisboa como motorista particular. E o meu pai nunca nos enganou: muito praticamente, de uma maneira muito taxativa disse "Vocês assim que fizerem o Curso

Comercial vão trabalhar, porque não podem ir estudar para a Universidade". Eu já sabia que as circunstâncias me levariam a começar a trabalhar com quinze anos. Isto para dizer o quê? Não embarco muito na ideia da felicidade pela agricultura, não é a agricultura que dá a felicidade a ninguém. E também não embarco na ideia de que tudo o que há na cidade é bom. Eu vivo é entre duas realidades. E faço os possíveis por tentar, sem grandes choques, manter uma relação equilibrada com o espaço em que estou envolvido, resguardando-me o mais possível. Curiosamente, em Lisboa sempre vivi em bairros populares, em bairros que são pequenas aldeias dentro da cidade; nunca vivi em espaços mais descaracterizados, que os há. E faço essa ponte. Por um lado sei que a vida na aldeia não é um paraíso perdido, isto é, não se é mais feliz por se viver numa aldeia. Antes, pelo contrário, aí até os fluxos conflituosos circulam com mais intensidade, e na cidade é mais fácil uma pessoa passar despercebida. Mas, a cidade também tem um conteúdo de despersonalização. Não se é ninguém na cidade, passa-se perfeitamente despercebido. Nós também não nascemos para isso, e o relacionamento é mais difícil, é evidente. Só ao fim de muitos anos é que, na cidade, as pessoas se começam a relacionar, porque é difícil. Hoje, vive-se em prédios com muita gente, onde o vizinho é um estranho. Mas, tento, de certo modo, à maneira de Cesário Verde, apanhar os dois lados, o lado rural e o lado citadino. E na minha escrita não há preponderância de um em relação ao outro. Tanto escrevo sobre uma história passada no campo, uma mulher no campo que já não ia ao campo, estava doente, teve que ir ao campo para mostrar onde é que eram as fronteiras de um determinado espaço, numa determinada propriedade. E escrevo sobre o autocarro – até é uma imagem que o Acácio Barradas nunca esquece – aquela imagem da pessoa que vai a correr para apanhar um autocarro para chegar a horas ao emprego, mas nesse gesto corre o risco de ser atropelada pelo Mercedes do presidente do banco onde trabalha...

RV: De qualquer das maneiras, apesar de tanto tratar o campo como a cidade nos seus poemas, é normal ver uma certa postura crítica tanto perante um espaço como perante o outro. Sobretudo, a questão da despersonalização e da desumanidade. Concorda com esta ideia? Não concorda?

JCF: Eu procuro – aliás, julgo que todos os poetas fazem isso – contrariar, de uma maneira ingénua, pela da escrita, tudo o que seja o apagamento do homem. Pelo contrário, o homem deve ser é afirmado e não apagado. Eu chamava a atenção para um poema que tenho no *Universário*, que é igualmente crítico para os dois lados. Por um lado, há pessoas que criticam os anjinhos das procissões por não saberem o que é que estão a fazer; mas essas mesmas pessoas esquecem-se que os miúdos pequeninos da mesma idade que empurram os carrinhos de compras nos hipermercados também não sabem o que estão a fazer. É nesta dualidade que eu me movimento. Não embarco em que se fale da vida na aldeia como um paraíso perdido, mas também não embarco em que se fale do centro comercial como a grande catedral da felicidade.

RV: Indo mesmo só para a poesia: nela parece fazer sempre uma opção pelo essencial e pela simplicidade. Como é que se processa essa opção?

JCF: Com muito trabalho. Só se consegue chegar ao essencial, ao cerne, ao interior, somente por de um grande trabalho de escavação. Penso que hoje em dia, com a evolução e com o que ultimamente tenho escrito, já nunca mais poderei ir por outro caminho, ou então deixarei de escrever. Procuro sempre, com muito trabalho, chegar à tal situação líquida. Por meio de uma depuração do texto, que fica reduzido ao essencial, atingir só o lado interior: é como se tivesse um olho dentro da situação que o poema reflecte. Isso já tem sido dito por muitos poetas, com longo historial, em que dizem que o mais difícil é ser simples. Porque, por detrás da simplicidade, está um longo trabalho de aprendizagem.

RV: Escreveu também uma vez que tudo muda, mas para si "não mudam as palavras essenciais". Que palavras essenciais são essas?

JCF: Eu julgo que são as palavras essenciais de tudo. Que palavras essenciais temos? Temos a vida, temos a sua misteriosa multiplicação, a sua resistência à erosão da morte, ao desgaste do esquecimento, o amor (desde o amor-amor ao amor que é pura e simplesmente o facto de dar atenção a alguém), o voltar-se para o outro, a ideia do outro não como um ser a rasurar, mas como um ser a valorizar e a dialogar, os valores. Eu considero-me, não sei se mal ou bem, um poeta solar; um poeta da luz, do Sol, daquela ideia de que vale a pena – como dizia o outro – plantar macieiras mesmo que amanhã vão morrer. A ideia da multiplicação da alegria, da multiplicação das sementeiras, mesmo que depois alguém, outro alguém, venha colher essas sementeiras. E não sou nada poeta da morte, nem da noite. Se procurarem, acho que não vão encontrar nenhum elogio da morte. Considero-me um poeta totalmente solar. De tal modo que, na minha vida particular, nunca saio à noite – e para mim é até com sacrifício que trabalho à noite –, e sempre com problemas, porque não gosto da noite. É uma coisa física, é um desajustamento físico.

RV: Ainda falando das palavras. Nietzsche dizia que "as palavras mais silenciosas são aquelas que trazem a tempestade". Concorda com ele ou não?

JCF: Custa-me um bocado entrar na expressão "palavras silenciosas". Será que a ideia é dizer "aquelas que já estão dentro de nós", que não precisam ser ditas em voz alta? A ideia da mãe, a ideia da vida, a ideia da água, a ideia do Sol... São essas de facto as que fazem mover isto tudo. É da mãe que recebemos a vida, é o Sol que multiplica as nossas colheitas, é a água que nos alimenta – e se tivermos dezassete dias sem água não vivemos. E são meia dúzia de palavras que fazem mover todas as outras. Todas as outras são subsidiárias. Se for nesse aspecto, estou totalmente de acordo.

RV: Considera-se, de alguma maneira, um poeta de intimidade?

JCF: Num certo sentido, sim. Porque, embora haja alguns poetas que já têm chamado a atenção, dizendo que a minha poesia está muito povoada por factos, a verdade é que eu penso que a minha poesia é, sobretudo, uma poesia de interioridade. É uma poesia de sentimentos, uma poesia de memórias, é uma poesia de ajuste de contas entre realidades díspares, distantes, contraditórias. É, às vezes, uma balada magoada de um tempo que se perdeu. Nesse aspecto considero que é uma poesia de intimidade. Mas também há alguns poemas que se voltam para uma realidade exterior. Por exemplo, estou-me a lembrar de um poema, "Noventa dias", que é um poema onde claramente uma mulher levanta a voz para o facto de ter noventa dias para passear o bebé, mas que isso só não chega. Há uma reclamação social. Portanto, há um lado intimista, particular, mas eu acho que há também sempre a presença de uma visão mais pública, em que o poema não se fecha só numa escrita interior, mas que olha para o real e para as contradições desse real.

RV: Mas considera-se simultaneamente "um poeta social"?

JCF: Relativamente. Eu tenho vários poemas onde se pressente essa faceta. Agora não sou um poeta de púlpito, não sou um poeta de me dirigir às massas. Mas sou um poeta social, até pelo meu trajecto pessoal. Uma pessoa que estudou até aos quinze anos e que com quinze anos começou a trabalhar, obviamente que tem de ser uma pessoa ressentida por uma vida que estava organizada naquele tempo de modo a que uma pessoa, só porque era filho de um ex-cavador, de um ex-assalariado rural, não ter acesso à universidade nem a estudos superiores, só por isso mesmo, não por não ter qualificações próprias ou vontade. Nesse aspecto, se a minha vida sempre foi uma vida dentro de determinadas circunstâncias, a minha escrita também reflecte essas circunstâncias.

RV: Há outras duas realidades que frequentemente são focadas acerca da sua poesia: em primeiro lugar, uma nostalgia; em segundo, um certo humor magoado, como diz Nicolau Saião. Concorda, ou acha que há mais do que isso ou também isso?

JCF: Sem dúvida que essas duas componentes são importantes. A nostalgia, dado o facto de eu próprio ser um nómada, dentro do relativo que é ser nómada num país pequeno como Portugal. Eu fui arrancado com cinco anos a uma determinada realidade: que eu me lembre, tinha uma determinada cadência. Ainda me lembro das estações do ano terem ciclos e desses ciclos funcionarem: chovia no inverno, agora não chove; havia sol e trovoadas na primavera; havia calor no verão; e o outono já era mais frio. Eu fui arrancado a uma determinada realidade, uma realidade onde, por exemplo, o dinheiro não tinha qualquer valor. As pessoas ricas não eram ricas por terem dinheiro, eram ricas por terem juntas de bois, por terem milho, por terem trigo, por terem vinho, por terem azeite. Eu venho dessa realidade. As pessoas não usavam dinheiro pura e simplesmente. Eu lembro-me de ir à mercearia da aldeia trocar uma dúzia de ovos por uma barra de sabão. E não estávamos no Terceiro Mundo. Isto acontecia com toda a naturalidade. Havia, portanto, uma realidade muito ligada à terra. Quer queiramos quer não. Uma realidade quase sacra, naquele sentido em que se começava a trabalhar quando tocavam os sinos, de manhã, parava-se ao almoço com os sinos, depois pegava-se da parte da tarde, e depois havia as ave-marias que era para dizer que "acabou"... Quer queiramos quer não, isso não se pode perder. Depois o facto de eu ser nómada: todas as viagens que fiz creio que tive sempre a nostalgia desse espaço que, sem ser o paraíso perdido, era um espaço onde havia um certo equilíbrio... Também havia conflitos, mas onde havia um ritmo e uma lógica de funcionamento das coisas (sementeira, colheita, sementeira, colheita). Coisa que o outro mundo para onde eu fui viver, que é o citadino, não tem. Lá, as pessoas se queriam um bolo faziam um bolo: com farinha e azeite, batiam o bolo, preparavam o forno. Aqui, vai-se ao supermercado. Compra-se o bolo já feito. Aqui compra-se tudo já feito: lá fazia-se tudo à mão. As pessoas faziam. Eu vi os sapateiros fazerem sapatos, com os moldes. Aliás, o poeta é o que faz. A minha ideia dessa nostalgia é que se justifica plenamente, porque vivo – ainda por cima em Lisboa que é a capital do país – onde todas essas modernidades chegam mais cedo. Isso choca-me. Porque a minha ossatura sentimental, o meu esqueleto sentimental é o da aldeia, disso não há dúvida. E nasce com todas essas particularidades que eu referi à bocado. Sobretudo, com a ideia do ciclo e do ritmo. Agora a outra questão do humor: o humor magoado, ou o humor às vezes irónico, ou mesmo o humor negro. Como é o caso da história do atropelamento (o jornalista Acácio Barradas nunca esqueceu! E de que fala sempre quando me vê). Aquela ideia do indivíduo que vai apanhar o autocarro, não sei se ainda viu autocarros sem porta? Aqueles que ainda há em Londres. E havia muitos desses em 1966. E eu uma vez tive essa imagem: é ir a correr no meio de uma rua para apanhar um autocarro para chegar a horas ao emprego, e ver um Mercedes, que me poderia ter atropelado se não travasse, onde ia o presidente do banco.

RV: Outra realidade que está permanentemente presente nos seus poemas são as pessoas. E que aparecem quer sob uma narrativa poética, no interior do poema, quer em dedicatórias, referências a nomes próprios, a iniciais. De que maneira é que esses nomes próprios têm importância nos seus poemas?

JCF: Têm importância. Para mim as pessoas são o outro. E, por detrás do acto poético, está um acto de amor. Por detrás da poesia está sempre o amor. O amor, no sentido da ligação ao outro. O amor como o oposto à indiferença e à hostilidade. Para mim é importante. Não foi por acaso que o primeiro livro é constituído por *Iniciais* e, de certo modo, por cartas a alguém. Aliás, num certo sentido, todo o poema é uma carta que se manda a alguém. Ou que se manda a si próprio. Justifica-se: os meus poemas de um modo geral são povoados por referências concretas. É uma poesia do concreto. Aliás, já o próprio Goethe dizia: "Não posso fazer poemas que repousem no nada". Isto é, não há nada que repouse no nada. Tudo repousa numa base, num ponto (seja ele de ruptura ou não). Tudo o que se escreve nasce de qualquer coisa. A ideia do poema puro, sem referências, sem ser resposta a nada, não sou capaz de aceitá-la. Isto é, um poema de laboratório, uma coisa feita dentro duma proveta. Não sou capaz. Para mim o poema tem sempre sangue. Isto é, tem sempre um fluxo, ou de ódio, ou de repúdio, ou de amor, mas tem que haver sempre qualquer coisa de vivo, tem que haver um drama. Mesmo que seja um pequeno drama, mas um drama. O poema nasce sempre de uma ruptura e tenta ser uma resposta a essa ruptura. Daí a presença das pessoas.

RV: Mas, temos ainda a questão das *Iniciais*. Acha que essas iniciais são fragmentos de uma memória que se quer reconstituir, mas que é difícil reconstituir ao mesmo tempo?

JCF: No caso concreto das *Iniciais*, que eu juntei em livro, foi um projecto que num determinado tempo me interessou e que tem a ver, no fim de contas, com aquilo a que eu chamo o meu primeiro poema adulto. Eu escrevia, como todos os jovens que gostam de escrever, desde muito jovem. Mas tinha a noção que estava a escrever "à maneira de". Andava ali às voltas, às voltas, às voltas. E tive a percepção (por acaso, há dias consegui recuperar esse poema), em agosto de 1978, que terei conseguido escrever um poema que já era um poema adulto. Isto é, já não era um poema juvenil, já não era um poema "à maneira de", mas era um poema meu. De tal modo tive a percepção disso, que mandei esse poema para o Carlos Pinhão, que era uma pessoa que me tinha apoiado, a que eu tinha escrito. Tinha-me incentivado a escrever: "Vale a pena continuares a escrever, apesar de seres um poeta de fotocópias". Isto era uma expressão que eu utilizei; eu, de facto, sentia-me isolado, e dizia que era um poeta de fotocópias – eu escrevia, tirava fotocópias, e mandava a pessoas amigas. "Um dia hás-de deixar de ser poeta de fotocópias", disse ele, e incentivou-me a escrever. Esse projecto tem a ver com o Ruy Belo. Quando eu escrevo em 1978 o poema "Ruy Belo", eu depois quis fazer outro poema que fosse outra reflexão sobre o Ruy Belo, sobre o desaparecimento do Ruy Belo, e intitulei-o "R.B.". E, a partir daí, nasceram os outros vinte poemas. No fim de contas, a ideia foi escrever uma carta a alguém. Cada poema é uma carta.

RV: Acha que um nome pode ser um retrato do outro, nesse caso?

JCF: Quando eu ponho, por exemplo, "C.O." (Carlos de Oliveira), naquele pequeno poema está condensada toda uma relação do leitor e do aprendiz de poeta para com o poeta. A ideia de, em vez de pôr os nomes, pôr as iniciais, surgiu durante o projecto. Não havia nada que proibisse eu ter apresentado aqueles poemas com o nome propriamente dito, mas foi uma maneira de tentar, também, que o leitor entrasse na cumplicidade e tentasse descobrir pelas referências qual era o destinatário da carta.

RV: Já falou em Carlos Pinhão, em Ruy Belo, em Carlos de Oliveira. Quais sao as suas figuras tutelares na literatura, tanto na literatura portuguesa como na literatura estrangeira?

JCF: Assim um bocado a frio é difícil, mas pode dizer-se que o Cesário Verde é a referência importante. O Ruy Belo também, até por razões também geográficas, de afinidade. Da casa do Ruy Belo à minha casa são catorze quilómetros. Não é assim muito distante. Depois, o Carlos de Oliveira. O poeta Carlos de Oliveira, também o romancista, mas, sobretudo, o poeta. Victor Matos e Sá. Há muitos poetas de cabeceira, agora é difícil estar a lembrar. Há um veio, pode-se dizer um veio realista. Mesmo o próprio Fernando Pessoa, o Álvaro de Campos. Não é por acaso que há um "Louvor e simplificação de Álvaro de Campos" e que eu escrevi um "Louvor e simplificação de Armando Silva Carvalho", exactamente é também uma homenagem ao Álvaro de Campos, por interposta pessoa. É toda essa linha, mas de certo modo eu não excluo poetas – o Raul de Carvalho ou o Luís Veiga Leitão. Eu leio os poetas todos, e de todos eles fico sempre com algum pó nos sapatos, como diz o outro. O caminho é comum, as letras são as mesmas, a maneira de as organizar é que é outra. Eu não excluo poetas. Agora posso é dizer que sinto uma grande afinidade: lembro-me que para mim foi um choque ter lido o poema dos calceteiros, do Cesário Verde, com doze anos. Fazia parte do livro de Português do extinto Ciclo Preparatório. E esse livro era o livro de leitura que, salvo erro, se chamava *Mar-Alto*, e tinha lá "os calceteiros". Aquilo foi uma revelação, foi uma aparição... De certo modo, eu com doze anos pude pensar: "É isto que eu quero fazer". Claro, sem esquecer o Camões, sem esquecer o João Roiz de Castelo-Branco, que tem um poema célebre, um poema de amor que é muito famoso, e que também ficou no ouvido. Mas o poema que, de certo modo, é o poema revelação da minha vida é esse poema, "Cristalizações", do Cesário Verde.

RV: Falando ainda de outros poetas. Há pouco tempo, em conversa com António Cândido Franco, ele dizia-me que via em muitos dos seus poemas uma leitura da poesia inglesa e norte-americana, que é uma poesia narrativa e que vai muito ao encontro do real e do quotidiano, e também dessa memória que se reflecte no quotidiano e no real. Concorda com ele? Acha que há realmente uma relação com essa poesia anglófona? Se há, quais são os autores ou as correntes?

JCF: Não há dúvida que isso é real, porque eu fui aluno do Instituto Britânico durante muitos anos. E durante o tempo que frequentei o Instituto Britânico, li muito da moderna poesia inglesa e alguma norte-americana. Aliás, há referências, há um poema – salvo erro "Saudação a um jovem americano", não: "Young man with letter" (aliás, o título em inglês não foge a isso)–, onde eu digo que "tu é que não conheces o Ruy Belo, mas eu conheço um poeta americano que é do teu país. Eu sou mais do que tu". Há ali um jogo. Eu li muito, isso foi uma fase da minha vida. Eu, por estar permanentemente no Instituto Britânico, frequentava a biblioteca a que tinha acesso. Mas, neste momento, se tiver que dizer nomes… Sei lá, um Dylan Thomas, que li e que passei. Há mesmo poetas cujo nome agora não recordo. Por exemplo, aquele poeta que era muito amigo do José Palla e Carmo, que era casado com a Sylvia Plath, Ted Hughes. Li o Ted Hughes, tornei-me sócio de uma pequena associação de escritores, que me mandavam livros e opúsculos. Porque em Inglaterra a poesia também está, tirando alguns casos, muito obscurecida. É muito difícil publicar poesia. Ainda há pessoas que publicam poemas a estêncil, isto é interessante que se diga. Porque isto é a verdade, e cá não se sabe, pensa-se: "Ah! A Inglaterra!". A Inglaterra? Os poetas jovens que se querem afirmar e que querem escrever vêem-se confinados a edições de duzentos exemplares, trezentos exemplares. Portanto, não é nada assim em grande.

RV: Há outro autor que, em relação à sua poesia, muitas vezes me lembra: o Philip Larkin. Não sei se concorda ou não?

JCF: Sim. Também é um desses poetas que li nessa fase em que, sendo aluno do Instituto Britânico, tinha acesso facilitado a toda uma plêiade. Eu até, inclusive, tive a ousadia de traduzir um poema (traduzir não, fazer uma versão) de um poeta da Irlanda do Norte, que o Raul de Carvalho, vivamente, me deu os parabéns, uma vez num jantar. Foi uma aventura interessante. Mas, pronto, foi uma aventura que foi toda uma fase que depois passou à história. Eu passei a ter outros interesses, passei a ter outra disponibilidade, deixei de frequentar o Instituto, onde frequentei o currículo mas não tenho o diploma. E depois nunca mais concretizei a obtenção do diploma de estudos, que era o oitavo ano; só tenho o do quinto ano. Há todo um saber fazer em relação a essa apropriação do quotidiano, tem a ver com o facto de ter frequentado e ter lido esses poetas, essa linha.

RV: Há bocadinho falávamos das figuras tutelares. Qual é, no meio dessas figuras tutelares, "o lugar da mãe", que é uma referência na sua poesia e é, nomeadamente, o título de um poema seu?

JCF: O lugar da mãe é importante. Mas eu às vezes multiplico. Neste caso, há uma outra mãe que aparece aí, que é uma mãe, de certo modo, tomada de empréstimo. O poema "O lugar da mãe" não é escrito para a minha mãe, mas para uma outra pessoa a que eu assumo uma ligação muito forte. O lugar da mãe para mim é um lugar indispensável, é um lugar insubstituível. Por quê? Porque eu nasci na casa dos meus avós, o meu pai sempre foi uma presença um bocado ausente. Isto é, pelas circunstâncias a minha mãe estava mais presente e o meu pai estava mais ausente, porque ele trabalhava num forno de telha e os fornos de telha trabalham de noite e descansam de dia. Pelas próprias circunstâncias, depois como motorista também, viajar, ir buscar areia, ir buscar tijolo, ir buscar cimento. A própria vivência dele afastou-o um bocado. E pode dizer-se que, aquilo que a minha mãe me transmitia, o gosto por contar histórias, a pena de não ter podido estudar (quando fez a quarta classe era considerada uma óptima aluna e deveria ter continuado a estudar, mas as condições numa aldeia na Estremadura, não ser de uma família rica, e ter muitos irmãos, enfim, as circunstâncias não permitiram). Me fizeram ganhar o gosto por contar histórias. O meu avô era um óptimo contador de histórias e viveu, por exemplo, uma fase em que em Portugal havia revoluções todos os dias, os militares andavam na rua, uns pelo lado dos democratas, outros pelo lado dos republicanos. Ele viveu toda essa fase entre 1925 e 1930. Mesmo depois do 28 de maio, as coisas não ficaram assim tão pacíficas como isso. Em Leiria, havia dois quartéis, que estavam de lados opostos. E de vez em quando saía a Infantaria contra a Artilharia. O meu avô era um espantoso contador de histórias. A importância da minha mãe tem a ver também com a presença. Eu próprio vejo isso: a minha filha mais pequena tem uma ligação muito forte a mim. Quando ela nasceu, eu estava mais perto dela, era eu que a ia pôr ao colégio, era eu que a ia buscar, era eu que lhe dava banho, era eu que lhe dava comida. Quando a mãe chegava, já muito de noite, ela já estava cheia de sono. Daí a ligação que ela tem com o pai. Eu penso que, no fim de contas, tudo tem a ver com as circunstâncias. Ela, ainda hoje com catorze anos, está muito ligada a mim, e uma coisa que eu diga, não há discussão. Ao passo que eu vivi de facto muito perto da minha mãe, até no espaço geográfico. Eu nasci na casa dos meus avós, porque os meus pais ainda não tinham casado quando eu nasci. E na aldeia, as pessoas só se casam quando têm a casa pronta. Não estando a casa pronta, a biologia teve mais força do que a construção civil! Eu nasci, e nasci num ambiente todo muito feminino. Com uma avó, com uma tia... E com uma tia-avó, que era uma segunda avó, e que ainda não tinha netos nem viria a ter nos próximos anos. Eu vivi muito no espaço da lareira, da cozinha, o espaço de ir ao rio ver lavar a roupa. A minha infância é um bocado essa. E depois eu sou uma pessoa que me presumo ser observador. Eu nunca me esqueço de uma figura feminina muito forte que, não sendo mãe, acabava por ter esse papel de mãe. E que era a madrinha do meu pai. Porque é assim: o meu pai começa a trabalhar com sete anos como criado de lavoura. E o meu pai ganhava muito mal, era tratado abaixo de cão. Trabalhava, tinha que se levantar muito cedo para ir buscar erva para o gado, tomava conta dos bois, do macho e da carroça e disso tudo. Quando eu era pequenino, eu via a madrinha do meu pai (a quem o meu pai chamava "madrinha", mas que era a patroa), uma figura de mulher sempre de luto – acumulou lutos sucessivos na família – a dizer para a minha mãe ir lavar a panela da sopa, e enchia-lhe a panela de azeite, outras vezes enchia-lhe a panela de feijão ou de grão, outras vezes enchia-lhe a panela com chouriços e farinheiras, que ela própria fazia. Ela, de certo modo, é uma outra mãe. Projecto nela a figura da mãe porque ela alimentava a casa (e fazia sempre um sinal: a panela depois passava como uma panela vazia, mas ia sempre cheia – "isso não se diz a ninguém"). Ela tentava rectificar com esse gesto maternal o salário injusto que o marido dela pagava ao meu pai. O lugar da mãe é uma homenagem a uma outra pessoa que tem um papel na minha vida e que eu, de certo modo, adoptei ou adaptei como mãe, mas que não é a minha, mas que tem do ponto de vista sentimental uma relação muito profunda comigo. Basta dizer que essa senhora, protagonista desse poema, fez oitenta anos e eu fui a única pessoa convidada fora da família. Além de filhos, netos, noras, genros e bisnetos, fui a única pessoa convidada expressamente para estar nessa festa. Isso diz qualquer coisa!

RV: Mudando de área: vamos para o desporto, que é também um pouco a sua "pátria". Que relações estabelece entre a actividade poética e o desporto?

JCF: Há muito de comparação. Mas, para mim, a ligação ao desporto nasce de muito, muito pequeno. Eu lembro que os meus primeiros passos foram dados num campo de futebol, atrás de uma baliza. Tenho ideia disso porque me contaram e porque muitas vezes lá fui e a família confirma:

os meus primeiros passos foram dados atrás de uma baliza num campo de futebol. Claro, rural, numa aldeia. Mas sempre um espaço de festa. Para mim o desporto ainda assume essa componente; vi sempre o jogo domingo à tarde como um intervalo, de festa num quotidiano cinzento. O meu avô praticou desporto, foi guarda-redes; era um apaixonado, chegava a ir de comboio a Coimbra, a Caldas da Rainha, a Alcobaça, por aí fora, ver jogos de futebol. Chegou a ir ao Porto ver um Portugal x Hungria, jogava lá um guarda-redes de que ele gostava muito, que era o modelo dele: Cipriano dos Santos. O que é que o desporto pode ter a ver com a poesia? Em um certo sentido, por meio do desporto, a pessoa tenta ultrapassar-se, tenta ser mais rápido, correr mais, saltar mais alto, ultrapassar as suas limitações. A escrita também é o partir de um ponto em que as palavras são o que são. As palavras são convocadas e o poeta tenta com elas, convocadas à sua maneira, ultrapassar-se também, isto é, acrescentar uma nova realidade, de certo modo bater um *record*, fazer qualquer coisa que ultrapasse aquilo que já foi feito até agora. Toda a história da literatura é o trabalhar com uma herança e tentar acrescentar a essa herança. O desporto também é recuperar o ideal dos gregos, e fazer sempre mais e melhor. Agora, é evidente que hoje em dia o desporto é um negócio. E, em muitos aspectos, a literatura também o é; há inclusive situações sórdidas, pessoas que depois de saberem quem vai ser o júri do prémio literário é que vão escrever o livro, porque assim já sabem que podem agradar às sensibilidades. Isto em Espanha é frequente. Ora isto é sórdido, não tem nada a ver com literatura. Mas, no caso do desporto, hoje em dia com o *doping*, com a profissionalização, o desporto já perdeu toda aquela carga de ingenuidade que tinha, que era das pessoas se reunirem, de ser uma festa. Mas isso ainda se verifica, por exemplo, nos escalões jovens, nos miúdos; ainda há um certo sentimento, uma certa plenitude de felicidade. E eu tenho vivido isso bastante, semanalmente, acompanhando os miúdos como jornalista. E vê-se também na parte do desporto amador, onde as pessoas, de facto, fazem desporto por desporto. Mas a comparação parece-me que é essa, a ideia de se suplantar o que já existe, fazendo sempre mais e melhor.

RV: Lembro que, uma vez ao conversar comigo, disse, ao falar do futebol, que um jogo de futebol é frequentemente uma celebração religiosa. Acha que o desporto, nomeadamente o futebol, possui uma dimensão religiosa?

JCF: Pode ser visto dessa maneira. Pelo seguinte: se verificarmos que as pessoas vão ao campo como se fossem a uma igreja, a uma romaria, ou ao adro de uma igreja, que as pessoas se deslocam, que vêm de longe (eu já tenho visto pessoas que vêm de Viseu, da Guarda, ou do Porto ver aqui jogos, a Lisboa), que se irmanam no sentido de se juntarem no mesmo carro para irem, que vão alegres pelo próprio encontro em si, que muitas vezes encontram pessoas – "Olha, este teve comigo na tropa!" –, há ali uma certa vivência. (Eu próprio, por exemplo, ultimamente, tenho estado com um vizinho que já não via há muito tempo por causa do futebol. Um vizinho do 3º andar foi viver para Almada, e agora encontra-me no futebol. Já sei o lugar dele, eu e meu filho vamos lá ter sempre, para estarmos a conversar com ele). Isso é um aspecto. As excursões que se organizam, vêem-se autocarros alugados. Para essas pessoas, o vir a Lisboa ver um jogo é uma festa, tal como ir a uma procissão, ou a uma romaria, a um adro. Aqueles noventa minutos são uma celebração. Pode ser abusivo, mas nesse sentido em que as pessoas se deslocam, fazem esse intervalo num quotidiano que não tem assim grandes horizontes, onde se vê – como agora no caso de Timor – que não basta todo um diálogo de repúdio para que se faça a paz, então as pessoas pensam: "Por que é que eu vou estar a preocupar-me, se esses indivíduos da ONU que têm tudo na mão não fazem nada?" Há um certo alheamento. E a festa é o intervalo que vale a pena nesse quotidiano, no sentido de festa, de romaria. Porque, inclusive, já me tem acontecido estar no alto do estádio e estar a ver as pessoas a chegarem. É um bocado como as pessoas que chegam a uma romaria, convocadas, neste caso, não por um sino, mas por uma aparelhagem sonora.

RV: No desporto, o Sporting está acima de tudo?

JCF: Sim, até pelas minhas funções. Eu estou dois dias por semana cem por cento ligado ao Sporting. O que não quer dizer que não conviva com outras pessoas, com outras realidades, inclusive com jornalistas de outros jornais, de outros clubes. De uma maneira até bastante cordial. Ainda hoje estive em Alverca; a falar com uma série de jornalistas que estavam à espera dos jogadores do Alverca que iam saindo, e do médico do clube. Mas eu não sou capaz de despir a camisola, isto é, não sou capaz de ver as coisas frio, e por isso tenho uma secção que se chama Linha Verde, num jornal de Ponta Delgada, onde faço exactamente em prosa (e às vezes em verso) esta profissão de fé continuada no Sporting, porque se pode mudar de tudo, mas não se muda de clube.

RV: Já que estamos em áreas, digamos assim, laterais à literatura, qual é a relação entre a pintura e a música, e entre a pintura, a música e a sua poesia?

JCF: Eu nesse aspecto sou, talvez, um bocado sectário. Eu só me relaciono em termos de admiração com aquilo que sou capaz de compreender. Há registos na minha poesia, referências a Vermeer, na pintura, por exemplo, ou a Vivaldi e a Bruckner, na música. Eu em relação à pintura tenho alguns problemas, talvez porque nunca estudei, nunca estudei a gramática da pintura do século XX. E tenho alguns problemas em passar, por exemplo, do Silva Porto, do José Malhoa, e do Almada Negreiros. O meu olhar vai muito mais para o chamado figurativo. Para mim o abstracto é mesmo abstracto. Aliás, há um poema famoso do Vitorino Nemésio que diz: "Poesia e abstracto, não". Poesia e abstracto? Não! Se é poesia, não é abstracto; se é abstracto, não é poesia. Em relação à música, também é usufruto dos grandes clássicos, do Bruckner, do Beethoven, do Vivaldi, do Bach, do Albinoni. A minha panóplia não é muito vasta, em relação ao século XX, tenho alguns discos, mas é mais para uma música que eu possa perceber melhor, que tenha uma gramática que eu considere mais acessível.

RV: Voltando ainda à sua poesia, todos, ou quase todos, os críticos que têm escrito sobre ela, tocam sempre em dois pontos que podem ser complementares ou contraditórios, conforme se entendam. Por um lado, consideram-no um poeta maior; mas, por outro lado, dizem que é um nome e uma voz marginal. Quer fazer algum comentário?

JCF: Eu penso que em relação a essa pergunta, as coisas acabam por ser simples. A importância de uma poesia – que está ainda em formação e em afirmação, que já ganhou prêmios e, algum relevo, e que já foi considerada por alguns especialistas como uma poesia com um lugar próprio – é sempre relativa. Isto é um aspecto. Agora o ser considerado "poeta marginal" tem a haver com a recepção, isto é, com aquilo que o sistema (não é só no futebol que há um sistema, a literatura também tem um sistema) considera. Eu em relação ao sistema estou completamente como numa desnatadeira, completamente deitado para fora. Tenho a noção de que eu só publiquei dois livros numa grande colecção de poesia, e ao lado de grandes poetas, um bocado por mero acaso. Não é por acaso, em relação ao valor, mas foi porque naquela altura aquela editora ainda não estava falida. Porque se aquela editora já estivesse falida, o que me aconteceu depois, acontecia-me naquela altura. Eu lembro-me perfeitamente que mandei (não conhecia ninguém na Moraes, era um leitor da colecção da Moraes) os poemas em fotocópia, com a carta da Associação Portuguesa de Escritores a confirmar a atribuição do prémio. E foi isso, sem mais conhecimentos nem cunhas, que fez com que o livro fosse publicado numa boa colecção. O segundo livro surgiu na sequência do primeiro: o êxito do primeiro foi uma porta aberta para o segundo. Mas, depois, com a falência da editora, nunca mais consegui editar um único livro numa editora, o que é de facto quase uma maldição. E tem a ver com isto: se eu não tenho acesso a suplementos literários, se eu não tenho acesso às trombetas da crítica. Inclusive tive uma vez uma entrevista no *Jornal de Letras* que foi depois proibida pelo director, José Carlos de Vasconcelos. Tudo isto significa que sou mesmo marginalizado.

RV: Portanto, não é marginal, é marginalizado?

JCF: Marginal não, porque não tenho um comportamento tipo "Luiz Pacheco", isto é, não sou um provocador, não faço um abjeccionismo militante. O que não quer dizer que não me dê bem com ele; em termos de amizade, até me dou bem com ele. Simplesmente, ele funciona num quadro que é totalmente diferente do meu. Mas como poeta sou, de facto, marginalizado. E eu demoraria horas a contar todas as tentativas que eu fiz junto de editoras, como a Caminho, a Guimarães, a Presença etc., para publicar livros que nunca foram publicados. Só me mandaram respostas cómicas essas editoras.

RV: Considera que a maior parte das colecções de poesia estão dominadas por interesses muito pouco poéticos?

JCF: Sim, por interesses completamente pessoais, personalizados. Ou seja, há grupos que funcionam por tendências. A Assírio & Alvim funciona num determinado registo; a Presença noutro; a Caminho noutro; a Guimarães noutro; e as poucas editoras que publicam poesia em Portugal se regem por outros valores que não os valores, por assim dizer, intrínsecos. O Óscar Lopes uma vez disse-me uma verdade, em conversa na Associação Portuguesa de Escritores: "mas a sua produção média é muito superior à melhor média daquilo que essas editoras publicam". E não foi por simpatia, foi mesmo quase em jeito de revolta, dizendo: "não faz sentido isso". Mas o sentido, como diz o outro "o que não tem sentido é o sentido que tudo isto tem". É um bocado aquele espírito de guichê, aquele espírito de repartição. As pessoas dos conselhos de leitura das editoras funcionam muito nesse espírito. Há um guichê e as pessoas estão na bicha, têm de estar à espera para serem atendidas quando sua excelência decidir. É muito esse espírito de chefe de repartição. Quem não está dentro desse esquema, pura e simplesmente é arrasado. Não existe. É votado a uma espécie de morte civil. Eu só não escrevo para a gaveta, tento publicar, também um bocado, como afirmação pessoal. Para dizer a esses indivíduos que, apesar de eles me tentarem silenciar, eu (pelo jornal ou por uma associação cultural ou de mim próprio) vou continuar a escrever, explicar que é aquilo que eles não me deixam fazer.

RV: E a crítica? Qual tem sido a sua relação com a crítica ao longo destes vinte anos de publicação em livro?

JCF: A minha relação com a crítica prende-se um bocado com o ritmo da relação com o movimento editorial, com aquilo a que os italianos chamam "fortuna editorial". Tenho uma fortuna editorial muito infeliz. A questão é esta: quando eu comecei, pelo facto de ter aparecido numa boa colecção, os meus poemas foram bem recepcionados, tive boas críticas da Isabel Pires de Lima, do Urbano Tavares Rodrigues, do João Rui de Sousa, da Fernanda Botelho, da Teresa Horta, do Álvaro Salema. Para além dos meus três padrinhos literários, no bom sentido, as pessoas que me deram o prémio sem me conhecerem, deram o prémio ao texto, como Fernando J. B. Martinho, Pedro Tamen e Armando Silva Carvalho. Não podem deixar de ser referenciados, porque foram eles que deram de certo modo um aval a um texto desconhecido. Quando eu começo a ficar marginalizado, em termos editoriais, também começo a ficar marginalizado em termos de fortuna crítica. Pelo facto de editar livros com o apoio da Câmara de Santarém ou do jornal *O Mirante*, ou do Grupo Desportivo do Banco Português do Atlântico, isso também fez com que a atenção crítica fosse nula.

RV: Em uma sociedade que vive pela economia, pelo consumo, pela *fast food* em todos os sentidos, que vive com uma passividade criminosa perante a barbárie, qual é o papel do poeta?

JCF: O papel do poeta é cada vez mais um papel confinado, um poeta está sempre no último reduto. Vemos, por exemplo, nos jornais: cada vez mais o texto diminui e aumenta o papel e a força da fotografia. Está tudo relacionado. Nos jornais, há pequenas entrevistas com fotografias de meia página. Isso é uma coisa que dantes era impensável. Fazia-se uma entrevista completa, com um jogador, um treinador, ou com o presidente de um clube, e depois uma pequena fotografia, só para testemunhar que aquela entrevista não tinha sido uma ficção. Hoje em dia não, hoje em dia vende-se a imagem. Vivemos, de facto, num tempo de realidade virtual. O poeta, que lida só com as coisas essenciais (como a reflexão sobre a morte, a vida, a eternidade, o amor; praticamente tudo anda à volta desses valores essenciais e interiores), é neste momento o ser sem voz e sem relevo na sociedade actual. Desapareceram os suplementos culturais, desapareceram os espaços. Ainda há poucos anos o *Diário de Notícias* publicava poemas no seu suplemento literário, salvo erro à quinta-feira, o dia dos suplementos culturais. Saía o do *Diário de Notícias*, saía o do *Capital*, saía o do *República*, saía o do *Diário de Lisboa*, saía o do *Diário Popular* (onde eu me estreei em 1978). Eu lancei-me nesta actividade publicando, em agosto de 1978, um poema no suplemento literário do *Diário Popular*, que já não existe, e já não existem suplementos literários. E isso, que não foi há tanto tempo, parece que já foi há muito tempo. E hoje em dia isso é irrepetível. É impossível de repetir. Hoje em dia, um jovem que escreve poesia não tem suplementos literários onde possa aparecer. E, por outro lado, vivemos num tempo em que as pessoas se desculpam porque não têm tempo para ler. Então as pessoas compram os livros, mas não os lêem. E dizem: "Tenho lá em casa um livro do Saramago", pois, mas não o lêem. Não posso adivinhar, mas parece-me que os poetas cada vez mais, pelo próprio ofício que têm, vão ficar confinados a um reduto de algumas centenas de leitores. Para se ler poesia não se pode ser distraído, não se pode embarcar no fácil, porque o poema apela a uma reflexão, apela a uma leitura atenta. O poema, por ter múltiplos sentidos, obriga a múltiplas leituras, obriga a raciocinar. E, hoje em dia, parece que as pessoas querem que lhe dêem é tudo já mastigado. Por exemplo: a política dantes era vivida (as pessoas andavam nos cafés, discutiam; andavam nos sindicatos, discutiam; andavam na rua, discutiam; eu vivi a revolução do 25 de Abril por dentro, porque a fiz, tenho um louvor na caderneta militar.), enfim, a política dantes era uma vivência. Hoje não, as pessoas sentam-se no sofá, vão uns senhores à televisão dizer "Isto é isto, isto e isto". E as pessoas funcionam em função dos comentadores. Se isto acontece em relação à política, em relação à literatura é a mesma coisa. E em relação ao cinema: vão ao cinema ver os filmes que têm mais estrelas, as pessoas não pensam, as pessoas não vão à descoberta, as pessoas aceitam passivamente aquilo que lhes é dito – "Este filme é bom, tem cinco estrelas, então vamos ver". Tem de ser bom por quê? Porque o jornal diz que é bom. Cada vez mais a poesia que não é inocente, que obriga à reflexão e que cria uma cumplicidade entre leitor e autor (se não fosse assim não poderia estar hoje a lembrar um poema – "Cristalizações", que li quando tinha doze anos); essa cumplicidade ficou para sempre, foram a força das imagens, o ritmo, a rima, a capacidade espantosa que ele tinha de recriar as névoas da manhã, que vem a saltar, a actriz que vem de madrugada e que vem encontrar os calceteiros a trabalhar... O vocabulário, toda aquela gramática dos sons, das chispas, as imagens espantosas do que é o trabalho. A sociedade actual apela para tudo o que não seja isso. Apela para a distracção, ao invés de apelar para a atenção. Apela para a imagem, em vez de apelar para a palavra. Os directores de jornais, com quem eu privo, queixam-se: "os jornais desceram de qualidade, a palavra está cada vez mais pobre nos jornais", dizem eles que é para responder à televisão. Quando um jornal tem metade de uma página só com uma fotografia do jogador ou do treinador é porque as pessoas querem poucas palavras e muitas imagens, como têm na televisão. Vejo com muita apreensão a importância relativa que a poesia venha a ter no próximo futuro. O *fast food* já chegou a tudo. A ideia de consumir acriticamente, consumir aquilo que os outros dizem para consumir, é exactamente o oposto de uma ideia que é de reflectir sobre, que é ler uma, duas, três vezes. Vejo isso com um certo pessimismo.

RV: E em relação às outras áreas da literatura, como o teatro, o conto, o romance?

JCF: Em relação ao romance, estava-se a passar o mesmo que em relação à poesia. Mas é possível que o fenómeno Saramago, com o Nobel, o tenha puxado um pouco para a ribalta. Não pela importância do Saramago, mas pela importância da encenação que a obra do Saramago acabou por ter. O romance em si, e a ficção em geral, podem ter beneficiado com essa chamada ao palco. Mas, hoje em dia, por outro lado (e digo isto com tristeza, e no teatro a mesma coisa...), hoje em dia vive-se aquilo a que se chama uma cultura de apartamento. Noutro dia, entrevistei um vice-presidente do Conselho da Europa e dizia-me "infelizmente vivemos numa cultura de apartamento". Isto é, as pessoas fecham-se em casa, alugam filmes, compram CDs. Ao alugarem filmes, deixam de ir ao cinema, trazem-nos e metem-nos no vídeo. Ao comprarem CDs, deixam de ir aos locais onde a música se faz. Não há comunicação entre as pessoas, elas fecham-se cada vez mais. Ora, dantes ir ao cinema era uma festa. As pessoas tomavam banho, penteavam-se, punham brilhantina, havia até uma questão social que era o encontro: as pessoas iam-se encontrar ao cinema; havia um ritual, e o mesmo era ir a espectáculos musicais que, por serem raros, eram ansiosamente esperados. As pessoas esperavam um ano para irem ver uma ópera ao Coliseu. Porque ela ia primeiro ao São Carlos e depois, a preços mais em conta, ia ao Coliseu. Vejo que se está tudo a perder; tudo o que tenha a ver com realidade, com autenticidade, se está a perder em relação ao virtual e à imagem. Nunca me esqueço que fui a uma escola no Cartaxo onde os miúdos me disseram "ver o jogo na televisão é o mesmo que ver no campo". E eu disse: "Não é nada, é que a televisão te dá uma imagem do jogo. Tu na televisão não estás a ver o jogo, estás a ver aquilo que a câmera captou, mas nem estás a ouvir, nem estás a viver, porque viver é estar lá atrás da baliza, apanhar frio se estiver frio, apanhar sol se estiver sol, isso é que é viver". De certo modo, fazendo uma extrapolação: a nossa vida está perigosamente muito voltada para o virtual, não para as coisas mas para as imagens das coisas. Basta dizer-se, por exemplo, que ainda há pouco tempo uma noiva se recusava a casar porque o fotógrafo tinha faltado. Para ela o importante não era casar, era ter fotografias do casamento. Isto é uma anedota, mas isto é verdade, aconteceu.

RV: Apesar de tudo isso, acha que ainda vale a pena os escritores terem, mais do que uma atitude estética perante a vida, uma atitude ética?

JCF: Sim, acho que vale a pena. Porque, no fim de contas, há sempre alguém que vai o uvir a voz. Ainda há pouco tempo recebi um telefonema da livraria Portugal, alguém da livraria Portugal que, a pedido de uma universidade alemã, pedia um livro meu, que estava esgotado. Alguém em Heidelberg está à procura de um livro meu. Isto quer dizer que, apesar de todo o panorama de incomunicabilidade, de frieza, de egoísmo, que é o panorama geral do tempo que vivemos, ainda vai havendo casos de contacto, de ligação, em que aquilo que alguém escreveu é recebido e é trabalhado pelo destinatário. Em relação à acção dos escritores: os escritores devem aproveitar ao máximo as suas capacidades (a capacidade de, com alguma facilidade, exteriorizarem de maneira organizada e eficaz as ideias, as ideias que têm sobre os problemas), devem aproveitar ao máximo todos os espaços disponíveis na imprensa, no rádio, na televisão para fazerem chegar aos outros as suas opiniões, e para fazer com que os outros repensem, pensem de novo, toda uma maneira ilusória com que se estão a apropriar da realidade, com que se estão de certo modo a deixar adormecer. Para que em casos, como esse da noiva que estava a chorar e já não queria casar porque não tinha fotógrafo. Isso foi contado por um fotógrafo profissional, que se chama Jorge Barros e trabalha para a Fundação Gulbenkian. Normalmente, ele só fotografa monumentos, castelos, paisagens, igrejas antigas, e estava a preparar o tripé para fotografar uma igreja antiga em Barcelos, e vieram-no chamar para ele ir desenrascar um problema: estavam 600 pessoas paradas à espera que a noiva se decidisse, mas a noiva disse que não se casava se não tivesse fotógrafo – mais importante que o casamento eram as imagens que ela queria guardar, numa caixa do seu casamento.

RV: Se lhe pedissem para escrever uma pequena epístola aos vindouros, o que diria em poucas palavras?

JCF: Tentaria dizer aos vindouros o que dalguma forma já tenho enunciado em relação aos meus filhos (que são, de certa forma, os vindouros mais próximos): apesar de tudo vale a pena fazer tudo para que o mundo seja corrigido. Não é uma fatalidade termos a fome, a miséria, a degradação, o trabalho infantil, todas essas formas de degradação. Isso não é uma inevitabilidade. Todos nós temos, dentro da nossa quota parte, de fazer esforços para que sejam dados passos em frente, no sentido de que o mundo seja um lugar mais civilizado do que aquele que encontrámos; e estamos a acabar um século onde houve duas guerras mundiais, morreram milhões de pessoas, houve epidemias, e há guerras regionais importantes e tem morrido muita gente, onde tem havido conflitos... Nós não nascemos para isso, não nascemos para matar. Em princípio, não nascemos para ser infelizes, não nascemos para ser pobres, não nascemos para ser esfomeados. E a ideia que eu costumo dizer aos meus filhos: o meu pai começou a trabalhar com sete anos, eu comecei a trabalhar com quinze, se eles começarem a trabalhar com vinte e cinco já é um progresso. Se toda a gente pensasse assim, e se sacrificasse, no sentido em que eu me sacrifico, porque eu, neste momento, poderia pura e simplesmente parar, dizer: "estou reformado, não trabalho mais", mas não, eu continuo a trabalhar porque é trabalhando que não só me realizo – escrevendo para o jornal do Sporting, *O Mirante*, a revista *Ler*, contactando com escritores, com livrarias, com gente deste meio –, mas, eu também no fim de contas, vou ganhar mais dinheiro, ganhar de certo modo outro ordenado, e esse dinheiro é para que eles possam estudar na universidade, ter livros e discos, e possam, de vez em quando, fazer viagens, como foram no outro dia a Trás-os-Montes. À minha pequena escala, que é pequeníssima, eu tenho feito os possíveis para melhorar o mundo, porque tento corrigir o que herdei do meu pai, e tento dar aos meus filhos uma sequência de melhoria da vida. Nesse aspecto o que eu posso deixar aos vindouros é, de certo modo, o exemplo de um comportamento e de uma actuação própria que acho que não me envergonha. Dentro do meu pequeno raio de acção, fiz os possíveis por melhorar o mundo que herdei.

Obra poética

Iniciais. Lisboa: Moraes Editores, 1981.

Universário. Prefácio de J. O. Travanca-Rego. Lisboa: Moraes Editores, 1983.

Transporte sentimental. 1ª edição. Lisboa: Espiral, 1987.

Jogos Olímpicos. Lisboa: Espiral, 1988.

Transferidor e outros poemas. Edição do autor. Lisboa, 1989.

1983 – um resumo. Chamusca: Jornal O Mirante Editora, 1991.

Leme de luz. Lisboa: Sol XXI, 1993.

Mesa dos extravagantes. Santarém: Edição O Mirante, 1996.

Transporte sentimental. 2ª edição. Lisboa: Câmara Municipal de Lisboa, 1999.

As emboscadas do esquecimento. Santarém: Edição O Mirante, 1999.

De súbito. Leiria: Editorial Diferença, 2001.

Os guarda-redes morrem ao domingo. Prefácio de Dinis Machado. Lisboa: Padrões Culturais, 2002.

O saco do adeus. Santarém: Edição O Mirante, 2003.

Pedro Barbosa, Jesus Correia, Vítor Damas e outros retratos. Lisboa: Padrões Culturais, 2004.